英語で説明！
外国人が必ず聞いてくる
ニッポンの不思議 88

石井隆之
Ishii Takayuki

かんたん英語で
すらすら読める！
しっかり言える！

Ｊリサーチ出版

はじめに

　国際感覚を持った日本人が求められています。では、「国際感覚」とは何でしょうか。もちろん、世界の事情に詳しいとか、外国人とのコミュニケーション能力があるとか、色々な条件が「国際感覚のある日本人」に求められるでしょう。

　しかし、外国人がたくさん日本に入ってきている昨今、日本について色々と質問してこられる場合があります。このような質問に答えることができることも「国際感覚」の重要な条件ではないでしょうか。日本の外に意識が向いていることが、国際的であるための唯一の条件にはならないのです。このことを銘記すべきでしょう。

　そこで、本書は、外国人が聞いてくる質問を、一歩進んだ形で、英語で回答することを目的として書きました。外国人から発せられた膨大な質問の中から88個を厳選し、日本文化的情報を加えて、回答しています。

　一般に、英語のできる人は日本文化に疎く、日本文化が詳しい人は英語があまりできないことが多いものです。だからこそ、この本は存在意義があると思います。本書は次のような人たちに向いています。

英語はできるけれど、日本文化的情報に疎いと思う方
日本文化のことはよく分かっているけれど、英語がうまく使えない方
英語にも日本文化の知識にも自信がないが、どちらも重要だと思う方
外国人の質問とその回答に関心のある方
通訳案内士で、一歩進んだ情報を求めている方
英語教師で、コミュニケーションを中心に教えている方

　本書の英文校閲については、私が常に英語関連の仕事で、活動を共にしているJoe Ciunci先生のお世話になりました。また、編集面では、Jリサーチ出版の新谷祥子様のアイディアと助言をいただきました。

　さらに、私が行っている通訳ガイド向けの研修にご参加いただいている方々の励まし、さらに日本文化論および社会言語学のゼミに参加している私の大学の学生からの素朴な質問が執筆のヒントになるなど、実に様々な方々や学生たちのお力により、本書を世に出すことができました。この場をお借りして、深く感謝申し上げます。

　本書を通じて、英語と日本文化の面白さと奥深さに触れ、日本文化を英語で説明する能力の向上に少しでも寄与するなら、著者としてこの上ない喜びです。

石井隆之

CONTENTS

はじめに／2
本書の使い方／6

1章 ● 食やしきたりにまつわる"不思議"

1	なぜ日本人は赤飯を食べるの？	10
2	おせち料理の意味って何？	12
3	なぜ鏡餅は2段重ねなの？	14
4	なぜ日本人は梅干しがそんなに好きなの？	16
5	お寿司は誰が発明したの？	18
6	幕の内弁当って何？	20
7	麺類をすするのはなぜ？	22
8	なぜお茶に砂糖を入れないの？	24
9	魚はもっとも一般的な食材なの？	26
10	日本人はどんなお茶を飲むの？	28
11	「キャラ弁」って何？	30
12	門松の意味は？	32
13	お盆って何？	34
14	なぜ鬼を追い払うのに豆をまくの？	36
15	なぜ夜に口笛を吹いてはいけないの？	38
16	北向きに寝てはいけないの？	40

【お役立ちコラム①】日本の食にまつわる3つのプチ情報！／42

2章 ● 神社や寺にまつわる"不思議"

17	神社とお寺ってどう違うの？	44
18	どうして柏手を打つの？	46
19	如来と菩薩はどう違うの？	48
20	神社の前の赤いゲートは何ですか？	50
21	日本一大きな大仏は何ですか？	52
22	日本の神様の特徴は何ですか？	54
23	お寺と神社の数は？	56
24	手水舎での"みそぎ"ってどうやるの？	58
25	神社での祈り方ってどうやるの？	60
26	なぜ寺は108回鐘を鳴らすの？	62
27	なぜ日本人は寺と神社両方行くの？	64

【お役立ちコラム②】「アメノウズメ」から「日本人の温泉好き」まで／66

3章　「和」なアレコレにまつわる"不思議"

- 28　なぜ桃太郎は桃から生まれたの？……………………… 68
- 29　どうして天狗は鼻が長いの？…………………………… 70
- 30　忍者は実際にいたの？…………………………………… 72
- 31　能と歌舞伎ってどう違うの？…………………………… 74
- 32　漫才って何？……………………………………………… 76
- 33　なぜ水墨画は空白が残ってるの？……………………… 78
- 34　石と砂は何を象徴しているの？………………………… 80
- 35　力士はどうして塩をまくの？…………………………… 82
- 36　花器が花で満たされてないのはなぜ？………………… 84
- 37　襖と障子の違いは？……………………………………… 86
- 38　なぜ毎日着物を着ないの？……………………………… 88
- 39　どうして舞妓の顔は真っ白なの？……………………… 90
- 40　富士山に登るのって簡単なの？………………………… 92
- 41　なぜ日本の幽霊は白い三角巾をつけてるの？………… 94
- 42　七福神って、誰がリーダーなの？……………………… 96
- 43　日本刀はピストルに勝てるの？………………………… 98
- 44　天皇と将軍って何が違うの？…………………………… 100
- 45　武士道と騎士道はどう違うの？………………………… 102
- 46　なぜ昔の人は丁髷を結っていたの？…………………… 104
- 47　なぜ侍は尊敬されるの？………………………………… 106
- 48　なぜ日本は鎖国したの？………………………………… 108

【お役立ちコラム③】　日本の家屋の特徴／ 110

4章　日本人にまつわる"不思議"

- 49　日本人はなぜ謝ってばかりいるの？…………………… 112
- 50　なぜ日本人はいつもお辞儀するの？…………………… 114
- 51　なぜ日本人はＶサインをするの？……………………… 116
- 52　なぜ遅くまで働くの？…………………………………… 118
- 53　なぜ仕事の後お酒を飲みに行くの？…………………… 120
- 54　なぜ日本人はよくニヤニヤするの？…………………… 122
- 55　日本人はなぜ２回しかノックしないの？……………… 124
- 56　日本人はなぜ長生きなの？……………………………… 126
- 57　日本人が怖いものって何？……………………………… 128
- 58　日本人はなぜ毎日お風呂に入るの？…………………… 130
- 59　日本の家庭の主人は誰なの？…………………………… 132
- 60　日本人は長時間正座するのが好きなの？……………… 134

CONTENTS

61 日本人の嫌いな数は？……………………………… 136
62 なぜ日本人は血液型の話をするの？……………… 138
63 日本人は食べ物にこだわるの？…………………… 140
64 日本人は普段何時に夕食を食べるの？…………… 142
65 日本人が好む色は？………………………………… 144
66 日本人の起源は？…………………………………… 146

【お役立ちコラム④】　日本の仏教　ちょっと意外な２つの話／148

5章 ● 日本語にまつわる"不思議"

67 日本語のルーツは？………………………………… 150
68 どんな言葉遊びがあるの？………………………… 152
69 語尾が「る」の動詞は、若者たちが作り出すの？……… 154
70 なぜ緑なのに青信号と言うの？…………………… 156
71 なぜ文字の種類が３つあるの？…………………… 158
72 数の数え方がなぜ２つあるの？…………………… 160
73 "ちょっと"は little ？……………………………… 162
74 なぜ５円玉だけ漢字表記なの？…………………… 164
75 キラキラネームって何？…………………………… 166
76 「ゆるキャラ」って何？……………………………… 168

【お役立ちコラム⑤】　日本の相撲あれこれ／170

6章 ● 日本人にはちょっと意外な"不思議"

77 なぜお婆さんが自転車に乗るの？………………… 172
78 どうしてこんなに地震が起こるの？……………… 174
79 なぜ夏なのにスーツを着るの？…………………… 176
80 本当にチップは不要なの？………………………… 178
81 なぜ東京に一極集中するの？……………………… 180
82 なぜ東京タワーはエッフェル塔に似てるの？…… 182
83 日本で一番多く輸出入されているものは何？…… 184
84 日本の"世界一"って何？…………………………… 186
85 日本一について教えてくれない？………………… 188
86 日本に最初に来た外国人は？……………………… 190
87 てるてる坊主は誰が作ったの？…………………… 192
88 賭博って日本では合法なの？……………………… 194

日本案内で使える！　英会話フレーズ大特訓／196
参考文献／216

■ 本書の使い方

第1〜6章（P.9〜195）

本書の基本ページ構成と、その効果的な利用法を紹介します。

英会話＝外国人が質問し、日本人が答える方式のシンプルな会話文。CDを聴いてから音読したり、CDを聴きながらオーバーラッピング (overlapping) やシャドーイング (shadowing) を行うといいですね。

★オーバーラッピングとは、英文を見ながら、CDに合わせてほぼ同時に英文を繰り返す勉強法。外国人の発音とイントネーションが身に付きます。シャドーイングとは、文字は見ずにCDを聴いて、少し遅れて同じ英文を発音する練習。音声面に加え、英語を生み出す能力も自然に身に付きます。ちなみに、音読→オーバーラッピング→シャドーイングの順にレベルが上がります。

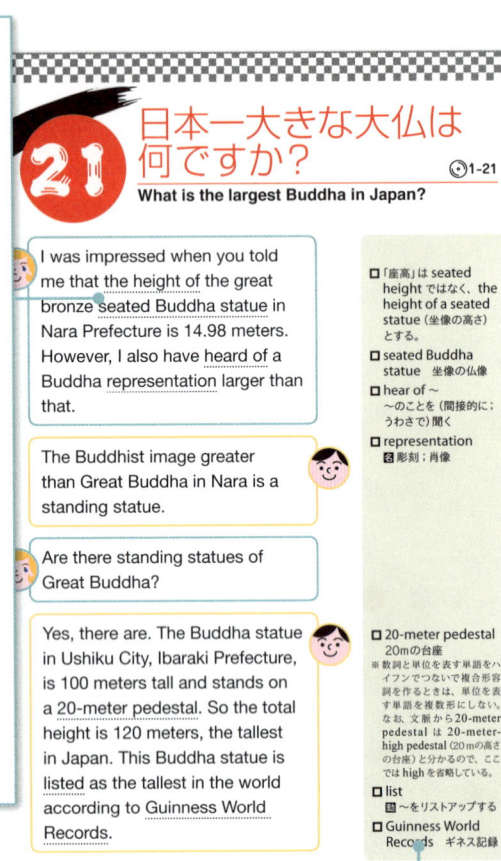

会話文の中で出てくる重要な語句や構文について示されているので確認しましょう。

神社や寺にまつわる **"不思議"**

日本の"アレ"を英語で言ってみよう！

「立像」
a standing statue

※慈悲の実践を表し、菩薩が多い
※statute と似たつづりの単語に注意
⇒ statute（法令；［企業の］規則）／
stature（身長；［精神的な］高さ）

「坐像」
a seated statue

※悟りを表し、如来が多い

深掘り！JAPAN！

- 奈良の大仏は、正式にはビルシャナ仏で、**仏の中の仏**（Buddha of Buddhas）、または、Buddha of the Universe（宇宙仏）と言えます。
- この奈良の大仏は、**真言宗**（the Shingon sect of Buddhism）などの**密教**（esoteric Buddhism）では**大日如来**（Great Sun Buddha）に当たります。
- **神仏習合**（Japanese syncretism）の考えでは、奈良の大仏と**アマテラス**（Great Sun Goddess）が同一視（identify）されます。

CHECK 「○○アップ」という和製英語

- リストアップ ▶ list the items〈項目／商品をリストアップする〉
- ピックアップ ▶ pick out〈選ぶ〉
- レベルアップ ▶ raise the level of the ability〈能力をレベルアップする〉
- イメージアップ ▶ improve the image of the company〈会社をイメージアップする〉

p.52 の日本語訳

Ⓐ この奈良の鋳造仏の坐像は座高が14.98mと言いましたね。凄いと思いますが、もっと大きい仏像があると聞きました。
Ⓑ 奈良の大仏より大きいのは立像の大仏です。
Ⓐ 立像の大仏もあるのですか？
Ⓑ はい、茨城県牛久市の牛久大仏は、高さ120m（像高100m、台座20m）で、日本一の高さです。この像はギネスブックにも登録されているので、世界一でもあります。

英語で言えるようになっておきたい日本の事象を、イラストや写真を交えて収録。日本文化の用語を英語にしてみる練習に利用しましょう。

日本のことをより詳しく知るために重要な項目をピックアップ。日本人でも意外と知らないことが多いかもしれません。文章内に英語表現も盛り込んでありますので、確認しましょう。

言語や文化に関する、特に興味深いテーマを挙げて解説。英語や日本文化の奥深さを味わいましょう。

左ページの英会話文の日本語訳（意訳）。英文の意味を確認する際の参照用です。

巻末：日本案内で使える！ 英会話フレーズ大特訓（P.196～215）

本編の英会話文の中で「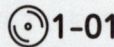」のマークがついている表現を使った、日本案内に使える会話フレーズを98集めました。

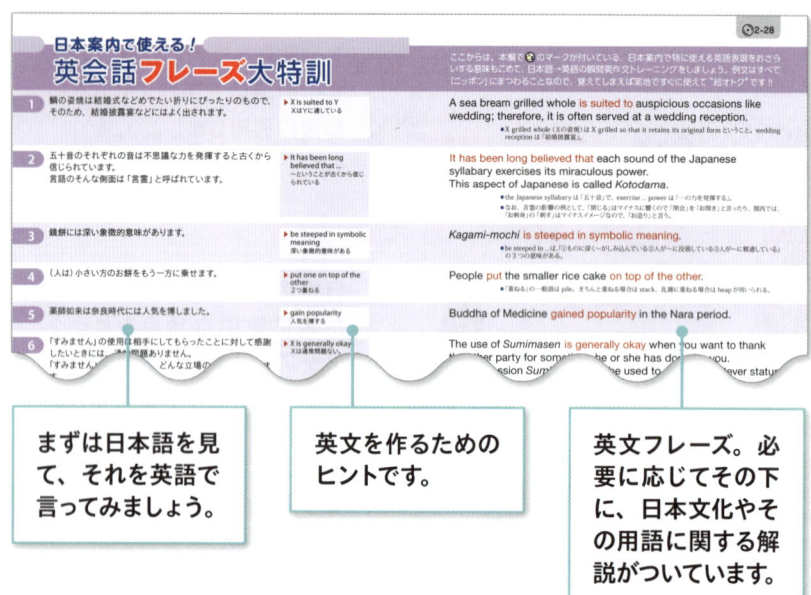

まずは日本語を見て、それを英語で言ってみましょう。

英文を作るためのヒントです。

英文フレーズ。必要に応じてその下に、日本文化やその用語に関する解説がついています。

CDの内容について

本書にはCDが2枚、付属しています。

🎧 1-01

本文内ではこのマークで示され、ディスク番号とトラック番号を参照できるようになっています。

　CDには、本編（1章～6章）の88の疑問に関する英会話文すべてが収録されていますので、音読、オーバーラッピング、シャドーイングなどの方法で訓練しましょう。

　また、巻末の「日本案内で使える！ 英会話フレーズ大特訓」の98フレーズすべてが、「日本語⇒英語」の順番で収録されています。日本語を聞いて瞬時に英語で言う練習をしてみましょう。

1章

食やしきたりにまつわる "不思議"

ここでは、おせち料理や赤飯、寿司などといった日本の伝統的な食文化や、節分の「豆まき」の理由や、「北枕」に関する説明など、身近だけど改めて尋ねられると答えにくかったりする16の「?」について、英語で語ってみましょう

テーマいちらん

赤飯／おせち料理／鏡餅／梅干し／お寿司／幕の内弁当／麺／お茶／魚／キャラ弁／門松／お盆／豆まき／口笛／北枕

なぜ日本人は赤飯を食べるの？

🔊 1-01

Why do Japanese eat rice with adzuki beans?

 Why do Japanese cook rice with adzuki beans on auspicious occasions?

 Red is a lucky color and rice is a sacred food believed to be created by the gods. This is why rice with adzuki beans, *Sekihan*, is doubly suited to happy occasions.

 What makes red an auspicious color?

 It's been long believed that the power to suppress bad luck resided in the color red. Thus it became the color used on auspicious occasions. We wouldn't want bad things to happen on happy occasions, would we?

☐ **auspicious**
形 縁起のいい

☐ **auspicious occasion** 祝い事

☐ **X is suited to Y**
XはYに適している 👍

☐ **doubly suited**
二重に適している（色と米の2点で適している）

☐ **It has been long believed that ～**
～ということが古くから信じられている。 👍

☐ **suppress** 動 抑える

☐ **reside in ～**
～に備わる

iStock.com/MK2014

10

食やしきたりにまつわる"不思議"

日本の"アレ"を英語で言ってみよう！

「小豆」 adzuki bean	「大豆」 soy bean	「金時豆」 red kidney bean
「インゲンマメ」 kidney bean	「ソラマメ」 broad bean; horse bean	「エンドウマメ」 green pea

深掘り！JAPAN！

- 枕草子（The Pillow Book）に「小豆粥」という赤飯の**原型**（prototype）が紹介されています。祝儀用になったのは室町時代で、一般庶民の**ハレの日**の食卓に出始めたのは江戸時代後期のことです。

- 赤という色は、革命の血や情熱など、国によっていろいろなものを表します。日本では、日の丸の赤は太陽を表します。太陽は全ての生命をはぐくむ基本的なエネルギーですから、赤は「**エネルギーの塊**」ということになり、めでたいのです。

- 7月の第3月曜日は「海の恩恵に感謝するとともに、海洋国日本の繁栄を願う」という趣旨を持つ「**海の日**」（Marine Day）という国民の祝日ですが、2016年より「**山の日**」（Mountain Day）が新たな祝日として、8月11日に制定されています。山の日の趣旨は「山に親しむ機会を得て、山の恩恵に感謝する」というものです。8月の「8」の漢字は、**末広がり**（widen toward the end; enjoy increasing prosperity）で**縁起のよい**（of good omen）「八」で、山にも見え、11日の「11」は山に木が立ち並ぶイメージを持ち、また、8月に祝日がなかったこともあり、8月11日の選定は適切であったと言えるでしょう。

- 「**鯛**（sea bream）」という魚は赤いので、めでたいとされます。入学式や卒業式では紅白の幕が使われ、お祭りや祝祭日は赤で表示されます。

- 日本料理には bean を用いる食物が多いです。たとえば、**bean paste**（味噌）、**bean jam**（餡子）、**bean jelly**（羊羹）、**bean curd**（豆腐）、**fermented beans**（納豆）、**sweetened adzuki beans**（甘納豆）などがおなじみですね。

---

p.10 の日本語訳

😊なぜお祝いのときに赤飯を炊くの？
😊「赤」という色はめでたい色で、「米」も神様が作ったと言われる神聖なものだから、お祝いに赤いご飯である赤飯は二重にぴったりというわけです。

😊どうして赤がめでたいの？
😊赤という色には災いをさける力があるとされてきました。だから、めでたいときに必要な色となったのです。めでたい時は災いが来ないでほしいですよね。

2 おせち料理の意味って何？

🔊 1-02

What is the significance of Osechi ryori?

 What is "osechi ryori"?

The word "osechi" originally meant one of five seasonal festivals in a year. The word has come to mean the first festival, or New Year's Festival. *Osechi-ryori* means dishes that refer to the traditional food served on New Year's Day.

 The New Year season is an auspicious period for the Japanese to celebrate.

That's right. The ingredients of New Year's cuisine are steeped in symbolic meaning. For example, herring roe connotes that one who eats it will be blessed with many children. Black soybeans suggest that one who eats them works so hard out in the field that their skin is tanned like black soybeans.

- ☐ significance 名 意味
- ☐ originally mean ～ 元来～を意味する
- ☐ seasonal 形 季節の
- ☐ refer to ～ ～を指す
- ☐ celebrate 動 祝う
- ☐ ingredient 名 具；食材
- ☐ be steeped in ～ ～に染まっている
- ☐ symbolic 形 象徴の
- ☐ herring roe 数の子（鰊［にしん：herring］の卵［roe］）
- ☐ connote 動 ～を暗示する
- ☐ be blessed with ～ ～に恵まれている
- ☐ tanned 形 真っ黒になる

食やしきたりにまつわる"不思議"

日本の"アレ"を英語で言ってみよう！

「五節句」
five seasonal festivals

※1月7日（人日）、3月3日（上巳）、5月5日（端午）、7月7日（七夕）、9月9日（重陽）。なお、1月1日は別格と扱われる。また、新暦では3月3日、5月5日、7月7日は同じ曜日。

深掘り！JAPAN！

- おせち料理は**重箱**（a set of layered lacquer boxes）に入れて出されます。

一の重	口取り	assorted dish	二の重	酢の物	vinegared dish
三の重	焼き物	broiled dish	与の重	煮物	stewed dish

「四」は**マイナスイメージ**（negative ring）なので「与」を用いる。

- おせち料理は、**縁起の良い食べ物**（food of good omen）を含みます。
  - ▶ 数の子　　herring roe…**子孫繁栄**（prosperity of posterity）
  - ▶ 昆布巻き　rolled kelp…昆布（Konbu）はよろコンブ（Yorokonbu）と読め「喜び」を表す
  - ▶ 黒豆　　　black beans…「太陽の下、真っ黒になるまで、まめに働く」の意

- 正月料理に欠かせないもの
  - ▶ おとそ　New Year's sweet rice wine flavored with herbs（ハーブで香りづけをした新年の甘い酒）。**桂皮**（cassia bark）及びその他の**香辛料**（spicy ingredients）が使われ、年少者→年長者の順で飲むのが正式です。
  - ▶ 雑煮　Special soup for the New Year holidays, usually with rice cake, chicken or fish-paste cake slices and other vegetable. Different districts or families have different Zoni.
  （新年の特別なスープで、普通、餅、鶏肉、スライスしたかまぼこ、そのほかの野菜などを入れる。地域や家庭によって異なる）
  「おとそ→おせち料理→雑煮」の順が、正式ないただき方です。

p.12の日本語訳

😊 おせち料理って何ですか。
😀 お節とは元来五節句の1つを意味しましたが、1番目の節句である正月を意味するようになりました。だからおせち料理とは1月1日用に作られる伝統的な料理です。

😊 正月は日本人にとってめでたい時期ですね。
😀 そうです。だから、おせち料理の具も目出たい意味を持っています。例えば、数の子は「子宝に恵まれるようになる」、黒豆は「畑で真っ黒になるまでまめに働く」を暗示するのです。

1章

13

なぜ鏡餅は2段重ねなの？

🔊 1-03

Why is one rice cake put on top of the other?

Why is *Kagami-Mochi*, one of the decorations for the Japanese New Year, known as a mirror rice cake?

A mirror is one of the three sacred treasures of the Imperial Family. It symbolizes the supreme goddess, Amaterasu, the sun deity. Simply put, the mirror represents a Japanese god.
The word for "god" is "kami" in Japanese. The shape of the mirror representing the "kami" is round. Therefore, round *mochi* is used for the mirror rice cake.

- ☐ three sacred treasures
  三種の神器
- ☐ the Imperial Family
  皇室
- ☐ symbolize
  動 象徴する
- ☐ supreme
  形 最上位の
- ☐ the sun deity
  太陽神（=the deity of the sun）
- ☐ simply put
  簡単に言えば
- ☐ put one on top of the other
  2つ重ねる
- ☐ the positive aspect of things
  陽（=Yang）
- ☐ the negative aspect of things
  陰（=Yin）
- ☐ virtue 名 美徳；効力

Why is one cake put on top of the other?

The two parts represent the positive and negative aspects of things. It is also said that a ball of rice cake on top of the other represents a wish for a blessing on top of a wish for virtue.

食やしきたりにまつわる "不思議"

日本の"アレ"を英語で言ってみよう！

「三種の神器」
the Three Sacred Treasures of the Imperial Family

※ the Three Imperial Regalia of Japan や the Three Sacred Regalia of the Imperial Household でも可能です。

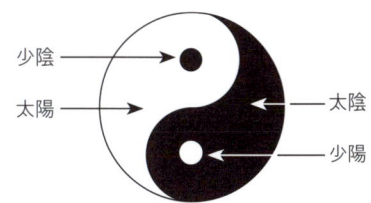

「陰陽」
Yin and Yang; the positive and negative aspects of things

※陰陽説の詳細は P.137 へ

深掘り！JAPAN！

- 天皇家の「三種の神器」とは具体的には、**鏡**（mirror）、**剣**（sword）、**勾玉**（comma-shaped jewel）です。
- 鏡餅に飾るものには、それぞれ意味があります。
  橙（sour orange）…代々栄えますように
  昆布（sea tangle）…よろコンブ ➡ 喜ぶ
  干し柿（dried persimmons）…二個・二個・中六つ ➡ ニコニコ仲睦まじく
  裏白（fern leaves）…心の裏まで白い
- 日本文化では2つに重ねることが原則となっていることが多く見受けられます。
  例1 雪だるまは2段 ➡ 西洋の雪だるまは3段
  例2 ノックは2回 ➡ 西洋のノックは3回（トイレは2回）
  例3 神殿の前で、「二礼二拍手一礼」

---

p.14 の日本語訳

😀 お正月に飾る鏡餅はなぜ、「鏡」の餅なの？

😀 鏡は天皇家の三種の神器の1つで、太陽神である最高の女神アマテラスを象徴します。簡単に言うと、鏡はカミを表しているのです。god を表す単語は、日本語では「神（カミ）」です。そして、神を表すその鏡の形が丸なので、鏡餅に丸い餅を使うのです。

😀 どうして2つに重ねるの？

😀 「2」の意味は陰と陽を表しています。また、重ねるのは福と徳が重なるようにという願いが込められていると言います。

Photo: Licensed under Public Domain via Wikimedia Commons

なぜ日本人は梅干しが そんなに好きなの？

1-04

Why do Japanese like pickled plums so much?

Why do Japanese like pickled plums so much?

- pickled plum
  梅干し
- seemingly
  副 見た感じ
- burdock 名 ゴボウ
- poisonous
  形 有毒な
- specialize in ~
  ~を専門とする

Pickled plums seem to go well with boiled rice and are an important ingredient inside rice balls. A traditional lunch box contained rice with some pickled plum in the center. This is called *umeboshi bento*. Did you know that sour foods are often good for health? This is reflected in the expression, "Take less salt and more vinegar."

I see. Japanese often eat seemingly exotic foods that foreigners usually don't eat, like fermented soy beans, burdock root, poisonous blowfish, and the like.

Yes, you're right. Raw horse meat or grated yams are also something foreigners generally won't eat. I've heard that some foreigners don't like *matsutake* mushroom, by saying it smells like shoes. I really like raw egg with my food. Americans don't like this sort of thing, right? I especially love a bowl of boiled rice with soy sauce-covered raw egg on top called *Tamagokake-gohan*. In Japan, there are some shops that even specialize in this food.

16

食やしきたりにまつわる "不思議"

深掘り！JAPAN！

- 外国人が**フグ** (blowfish) を食べないのは毒があるから。鶏卵も生では食べません。**不衛生** (insanitary) なものをあえて食べないのは常識的発想です。日本人は**非常識** (senseless) と言えるのかもしれません。
- 西洋人が**馬刺し** (horsemeat sashimi) を食べないのは、肉が生だという理由だけでなく、「馬は人間に食べられるために生まれた動物でない」というキリスト教的発想が根源にあります。
- 生玉子や**とろろ** (grated yam) や**納豆** (fermented soy bean) など、日本人はドロドロしたものが好きと言えます。
- **ゴボウ** (burdock; beggar's buttons) は、戦時中外国人の捕虜に当時貴重なゴボウを食べさせたところ、木の根を食べさせる**虐待** (abuse) だということで、5年の刑を受けたという例があります。食文化の違いが裁判に影響した例です。
- ゴボウは、**キク科** (chrysanthemum family) の**多年草** (perennial) で、**きんぴら** (chopped burdock root cooked in sugar and soy sauce) や**かき揚げ** (mixed vegetable and seafood tempura) のほか、**煮物** (food cooked by boiling and stewing) や**柳川鍋** (a pot of loaches boiled in soy sauce with eggs and burdock) に欠かせない食材です。
- ゴボウは、**食物繊維** (dietary fiber) が豊富で、**カリウム** (potassium)・**カルシウム** (calcium)・**マグネシウム** (magnesium) 等のミネラルも多く、**アルギニン** (arginine) などの**アミノ酸** (amino acid) も含んでいるので疲労回復 (recovery from exhaustion) に最適で、**サポニン** (saponin)・**タンニン** (tannin)・**クロロゲン酸** (chlorogenic acid) など**抗酸化作用** (antioxidative effect) を示す**ポリフェノール** (polyphenol) も含んでいます。

---

p.16 の日本語訳

😀日本人はどうしてそんなに梅干しが好きなの？

😀梅干しはご飯に合うし、おにぎりの定番です。梅干し弁当と言って、昔は梅干しを入れるだけの弁当もありました。酸っぱいものは健康にいいのは知っていましたか？だから「少塩多酢」というキャッチフレーズもあるほどです。

😀なるほど。日本人は外国人ならあまり食べない珍しい感じのものを食べますね。例えば、納豆とかゴボウとか有毒のフグとか…。

😀その通りですね。馬刺しやとろろも嫌がりますね。マッタケの香りが靴のにおいだと言って好きでない外国人もいると耳にしました。私は生卵を食べるのが好きですね。アメリカ人はこんなのはあまり食べないでしょ？　特に卵かけごはんは大好き！日本には、専門店もあるぐらいですよ。

お寿司は誰が発明したの？
1-05

Who invented Sushi?

 Who invented sushi?

Sushi is a Japanese food: a mixture of rice with vinegar and raw seafood, the original iteration of which may go back to the Nara period. It has existed for so long that it may be impossible to determine who first came up with the idea. In the Heian period, it looks like they threw away the rice, as it was meant to preserve the fish, and ate only the fish. Only in the Muromachi period did people begin to eat the rice with the fish.

- ☐ the original iteration 元祖
  ※iteration は「反復」という意味で、同じものが反復されてきたことを強調する場合、その original（源）を the original iteration（元祖）と表現する。「元祖」は the originator、the inventor、the founder、the pioneer とも言える。
- ☐ determine
  動 見つけ出す
- ☐ preserve
  動 保存する
- ☐ gain popularity
  人気を博す
- ☐ sushi stand
  立ち食い寿司屋
- ☐ conveyor-belt sushi shop　回転寿司店

 Kaitenzushi, or sushi on a conveyor belt, is beginning to gain popularity overseas. Do you have any idea who thought up that one?

I sure do. Shiraishi Yoshiaki, owner of a sushi stand, invented it and opened the world's first conveyor-belt sushi shop near Fuse Station of the Kintetsu Railway in Osaka in 1958.

日本の"アレ"を英語で言ってみよう！

「にぎりずし」（手で作った酢飯でシーフードの切り身が載せられているもの）
hand-formed vinegared rice with a slice of sea food on top

「巻きずし」（真ん中に詰め物をして海苔で巻いて作った酢飯）
vinegared rice made rolled in laver with a core of filling

「ちらしずし」（様々な具を上に乗せた酢飯）
vinegared rice with a variety of ingredients sprinkled on top

「いなりずし」（ご飯を詰めた甘い油揚げでできた寿司）
sushi made of sweetened deep fried bean curd stuffed with rice

時代により人気を博する仏が異なる

　薬師如来は現世利益（＝この世で受ける仏の恵み：benefits gained in this world）のための仏と言えます。庶民には重要な仏です。奈良時代には人気を博しました。平安時代になって空海がもたらした大日如来は**抽象的**（**abstract**）ですが、極めて重要な如来で、**貴族**（**nobility**）の間で人気がありました。その後、**末法の世**（**age of Buddhist decadence**）となり、来世を救ってくれる阿弥陀如来を庶民が求めるようになりました。そして鎌倉時代は**武士**（**warrior**）の世になって、より**具体的な**（**concrete**）仏、見習うべき仏として釈迦如来が、禅を学ぼうとする武士の間で人気が出ました。つまり、人気の仏が変化していったと言えるのです。このように好みが循環するという説があるのです。

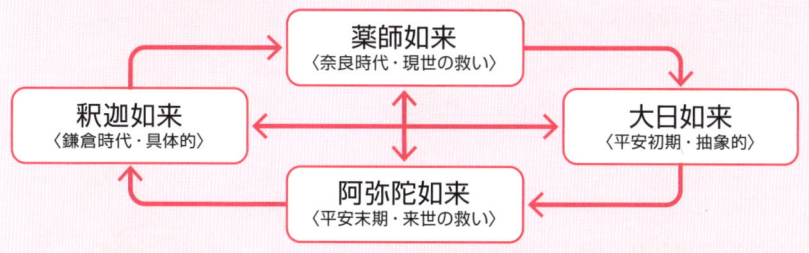

p.18 の日本語訳

😊お寿司は誰が発明したの？

👦お寿司は、酢飯と生の魚介類を組み合わせた日本料理で、原形は奈良時代から存在したようです。古過ぎて誰の発明であるかはわかりません。平安時代は保存食として、酢飯の部分は捨てて魚の部分のみ食べていたようです。室町時代になって初めて、酢飯の部分も魚と共に食べるようになりました。

😊回転寿司というのが海外でも流行りだしましたね。誰のアイディアなんですか？

👦こちらは誰が始めたか分かっています。大阪の立ち食い寿司屋の白石義明が考案し、1958年大阪の近鉄布施に世界初の回転寿司屋を開店しました。

幕の内弁当って何？

🔊 1-06

What is Makunouchi bento like?

I've heard of a type of food called "makunouchi bento." What is it like?

It's a kind of boxed lunch. It's named for the fact that people at play houses during the Edo period ate it after the curtain went down, "maku ga sagaru" in Japanese, until the end of intermission when the curtain went back up, or "maku ga agaru" in Japanese.

- boxed lunch　弁当 (＝箱詰めされたランチ)
- play house 芝居小屋

What kind of food does it have?

Traditionally it contains mostly rice balls sprinkled with sesame seeds, an omelet, baked fish paste, and grilled fish. As lunch boxes go, it's pretty big. These days it also has sausages, beef, and desserts such as small fruit.

- sprinkle ... with ~　…に〜を振りかける
- sesame seed　ゴマ
- fish paste　蒲鉾(かまぼこ)
- as ~ go　〜としては

食やしきたりにまつわる "不思議"

日本の "アレ" を英語で言ってみよう！

「幕の内弁当」（ご飯と様々な具の入った箱入りランチ）
a boxed lunch containing boiled rice and a variety of ingredients

「ほかほか弁当」（弁当屋ですぐに出される温かい弁当）
a hot boxed lunch fresh from a boxed lunch shop

深掘り！JAPAN！

- 幕の内弁当に似た弁当に松花堂弁当というのがあります。これは、**十字の仕切りが特徴の四角い弁当**(a square boxed lunch characterized by cross-shaped separators) です。

- この松花堂弁当は茶懐石＝**茶道で出される優雅な軽食**(the elegant light meal served in the tea ceremony) の流れをくみ、昭和になってできた弁当です。

- 一方、幕の内弁当は武家の儀礼的な食事である本膳料理＝**5つの膳で同時に出される高級な日本の食事**(high-grade Japanese meal served all at once on five small tables) の流れをくみ、江戸時代にできた弁当です。

- 懐石料理と会席料理はどちらも「かいせきりょうり」と読みますが、特徴は異なります。

料理	特徴
懐石料理	**茶がメイン**(tea-centered)、茶の味を引き立てる軽食。ご飯は少量。**季節感**(a keen sense of the seasons) や祝いの**メッセージ性がある**(message-heavy)。
会席料理	**お酒を楽しむため**(rice wine-oriented) の宴会の席の料理として発達。酒のための料理だからご飯は最後に出される。より**格式の高い**(high-class) 本膳料理の**簡略版**(simple version) と言える。

※本膳料理を簡略化したものが会席料理（◀膳を1つにした）、会席料理を簡略化したものが幕の内弁当（◀入れ物を1つにした）と言える。

p.20 の日本語訳

😀「幕の内弁当」って聞いたことがあるのですが、どんな弁当ですか。
😀 これは弁当の一種ですが、江戸時代の芝居見物で、幕が下り、次の幕が上がるまでに食べた弁当という意味で名付けられています。
😀 中身はどんな感じですか。
😀 伝統的には、ゴマを振りかけた俵型の握り飯と卵焼き、かまぼこ、焼き魚などのおかずが入った、サイズとしてはかなり大きめの弁当です。最近はソーセージや牛肉、小さなフルーツなどのデザートも入っています。

7 麺類をすするのはなぜ？

🔊 1-07

Why do Japanese slurp when eating noodles?

 Why do Japanese make slurping noises when you eat noodles? In the West, slurping is considered uncouth.

 One popular theory is that we make it sound delicious by making noises. I think this may be somewhat true.

 Not totally true?

 In just about every culture, sucking up noodles from the bowl to the mouth is considered bad manners. Therefore, in the West where the fork is the main utensil, people twist noodles around it. In Japan we eat noodles with chopsticks so we have to suck up the noodles. Making noises while eating noodles seems to be generally okay then.

- □ slurp 動 すする
  ※お茶をすするのは sip を用いる。

- □ uncouth 形 粗野な；洗練されていない

- □ popular theory 俗説

iStock.com/kazoka30

- □ suck up すする

- □ utensil 名 器具
- □ twist ... around ~
  …を~に絡める

- □ X is generally okay.
  Xは通常問題ない。

食やしきたりにまつわる **"不思議"**

日本の"アレ"を英語で言ってみよう！

「うどん」
thick Japanese wheat noodles

※うどん粉：wheat flour

「そば」
buckwheat noodles

※そば粉：buckwheat flour

「素麺(そうめん)」
fine noodles; vermicelli

「米粉(ビーフン)」
rice noodles; rice vermicelli

深掘り！JAPAN！

- **日本の麺類**（Japanese noodles）には、うどん、そば、そうめんの他、ラーメンがあります。もともと中華そばとして中国から入りましたが、日本で発達した麺類です。だから、ラーメンを Japanized Chinese noodles（＝日本化した中国の麺類）と説明できます。

- ラーメンは、漢字では「**拉麺**（lamian）」と書きます。**タレ**（sauce）を**出汁**（soup stock; broth）で割ってスープを作ります。タレによってラーメンは、**醤油ラーメン**（noodles in soy sauce-based soup）、**塩ラーメン**（noodles in salt-based soup）、**味噌ラーメン**（noodles in bean paste-based soup）の３種類に分けられます。

- **豚骨ラーメン**（pork bone broth noodles）は、豚骨をベースにした**出汁**（broth ＝肉や魚の煮汁）を用いるので、タレを組み合わせると、**塩豚骨ラーメン**（pork bone broth noodles in salt-based soup）とか**醤油豚骨ラーメン**（pork bone broth noodles in soy sauce-based soup）ができます。

- ラーメンと関係がある食材の英語を挙げておきます。
チャーシュー（roasted pork fillet）、**紅生姜**（red pickled ginger）、**餃子＝みじん切りにしたポークと野菜を詰めたフライパンで炒めた団子**（pan-fried dumpling with minced pork and vegetable stuffing）。

---

p.22 の日本語訳

😀なぜ、日本人は麺類を音たてて食べるの？
😀音を立てることによりおいしいというアピールをするというのが俗説ですが、そういう側面もあるでしょう。
😀本当は違うのですか。

😀すすり上げる食べ方は、だいたいどの文化においても良くないとされています。だからフォークを使う西洋文化ではフォークに絡ませますね。お箸しかない日本文化では、すすり上げるしかありません。その時の音はたいてい許されるということが真相のようですよ。

23

8 なぜお茶に砂糖を入れないの？

🔊 1-08

Why don't Japanese put sugar in green tea?

Why is it that you don't put sugar in green tea?

- Why is it that 〜 ?
  〜というのはどういうこと？

The Japanese love of green tea is to such an extent that at some elementary schools in Kyoto, they provide green tea from faucets. It's simply by habit that we don't put sugar in it. The green tea of the Heian period was used as medicine by monks, with its intentionally bitter taste keeping them from falling asleep while chanting Buddhist sutras.

- to such an extent that 〜
  〜というほどのもの
- from faucets
  蛇口から

- monk 名 僧侶
- intentionally
  副 わざと
- chant 動 唱える
- Buddhist sutra
  お経

In the West, people habitually put sugar in their black tea. Tea kind of helped promote the production of sugar, influencing the economy related to sugar and sugar products.

- influence
  動 影響を与える
- exemplify
  動 〜のよい例となる

This means black tea influenced industrial trends while Japanese tea affected mental development. The creation of the tea ceremony exemplifies this.

食やしきたりにまつわる"不思議"

日本の"アレ"を英語で言ってみよう！

「緑茶」
green tea

「抹茶」
powdered green tea

※抹茶パフェ：powdered green tea parfait

「煎茶」
middle-class green tea

※番茶：coarse tea／玉露：high-quality green tea

「麦茶」
barley tea

※はと麦茶：adlay tea

「玄米茶」
brown rice tea; tea with roasted rice

※ほうじ茶：roasted green tea

深掘り！JAPAN！

- 現在約400種類のお茶が販売されています。年間売上は9300億円。
- お茶は**発酵茶**(fermented tea)である**紅茶**(brown tea)、**半発酵茶**(half-fermented tea)である**ウーロン茶**(oolong)、**不発酵茶**(non-fermented tea)である**緑茶**(green tea)の3分類が可能です。このうち**カテキン**(catechin)量が最も多いのは緑茶です。
- 喫茶の風習は、元来中国の**唐**(Tang Dynasty)から**宋**(Sung Dynasty)にかけて発達したものと考えられています。
- 最初は「団茶法＝**固形茶を煎じて飲む法**(brick tea-based drinking)」が確立し、この方法が平安時代初期に入ってきたと思われます。仏教寺院において**読経**(sutra chanting)の際、薬として飲まれていた可能性があります。
- 次に中国では「点茶法＝**抹茶を飲む法**(powdered tea-based drinking)」が発達します。鎌倉時代になって、この抹茶の法が、**臨済宗**(the Rinzai sect of Zen Buddhism)を伝えた栄西によってもたらされました。
- 栄西は『喫茶養生記(Kissa-youjoki)』という本を書いて、現代風に言えば「**抹茶健康法**(how to keep fit with powdered tea)」を紹介しました。
- その後、村田珠光が「**わび茶**(Japanese tea ceremony based on rustic simplicity)」を提唱し、その後、武野紹鴎が**わび茶**を発達させ、千利休が**茶道を完成しました**(perfect the tea ceremony)。

p.24 の日本語訳

😊緑茶に砂糖を入れないのはなぜ？
😊京都には蛇口からお茶が出る小学校があるほど、日本人はお茶が好きですね。そんな緑茶に砂糖を入れないのは、単に習慣的なものです。もともと、平安時代のお茶は苦く、僧侶が読経中に眠らないための薬として使われました。
😊西洋ではふつうは、紅茶に砂糖を入れます。紅茶は砂糖の生産を促し、砂糖と関連製品の経済的発展に影響を与えました。
😊紅茶は産業の動向に影響しましたが、日本の緑茶は精神的発展と関わりがありました。その証拠に茶道が生まれたのです。

魚はもっとも一般的な食材なの？

🔊 1-09

Is fish the most commonly used food ingredient?

 Is fish the most commonly used food ingredient in Japan?

 It would be too much if you say that it's the most common ingredient, but Japanese are certainly a fish-loving people compared to the rest of the world. It's said that about one fifth of the world's <u>fish catch</u> <u>goes to Japanese tables</u>. This is evident by our habit of eating raw fish prepared with sushi. If you visit a supermarket in Japan, you'll see that there are so many different kinds of fish used for Japanese cuisine.

- ☐ fish catch　漁獲量
- ☐ go to Japanese tables　日本人の口に入る
- ☐ mackerel　名 サバ
- ☐ horse mackerel　アジ
- ☐ saury　名 サンマ
- ☐ sea bream　タイ
- ☐ puffer fish　フグ
- ☐ poisonous gland　毒腺
- ☐ squid　名 イカ
- ☐ crab　名 カニ
- ☐ sea chestnut　ウニ

 What kinds of fish do Japanese love?

Tuna is the most commonly eaten fish, followed by <u>mackerel</u>, <u>horse mackerel</u>, and <u>saury</u>. On auspicious occasions we always have <u>sea bream</u>. Some are even fond of <u>puffer fish</u>, with their <u>poisonous glands</u> removed of course. Shellfish, <u>squid</u>, octopus, shrimp, and <u>crab</u> are all indispensible ingredients. <u>Sea chestnuts</u> are popular delicacies, too.

食やしきたりにまつわる "不思議"

日本の"アレ"を英語で言ってみよう！

本文に出てきていない色々な魚の英語を、和名・漢字・英語で見てみましょう。

- さわら 鰆　**Spanish mackerel**
- おこぜ 虎魚　**stingfish; scorpion fish**
- しゃち 鯱　**orca; killer whale**
- かれい 鰈　**flat fish; flounder**
- かつお 鰹　**bonito**
- にしん 鰊　**herring**
  ※ herring roe は「かずのこ」
- さけ 鮭　**salmon**
  ※ salmon roe は「いくら」
- たら 鱈　**cod**
  ※ cod's roe は「たらこ」
- いわし 鰯　**sardine**
- あんこう 鮟鱇　**angler**
- はも 鱧　**pike conger**
- あゆ 鮎（香魚）　**sweetfish**
- くらげ 水母（海月）　**jellyfish**
  ※水母は中国語の表記、海月はポルトガル語を直訳したもの

1章

深掘り！JAPAN！

- 英語における cooking は生で出されるものは含みません。そもそも cook とは食材に対して火を用いて調理することを原則としているからです。
- 鯉（carp）は陰（Yin）の数6を**平方した**（squared）36枚のうろこを持つとされています。それで六六鱗とか六六魚という異名を持っています。
- 一方、龍（dragon）は鯉のうろこの数に陽（Yang）の数3を掛けた108枚のうろこを持つとされています。
- 鯉が滝を登って龍になる故事から、**登竜門**（a gateway to success）という言葉が生まれたりしましたが、龍になることができる鯉は特別な魚とされてきたのです。
- 大きくなるに従い、名前が変わる魚を**出世魚**（fish that are called by different names as they grow larger）と言います。

  例　オボコ ➡ イナ ➡ ボラ ➡ トド　※「とどのつまり」という言葉は、ここから出ました
  　　モジャコ ➡ ツバス ➡ ハマチ ➡ メジロ ➡ ブリ

p.26 の日本語訳

😀日本では魚が最も一般的な食材ですか。

🙂最も一般的な食材とまでは言えないかもしれませんが、確かに日本人は世界の国と比べれば魚好きの民族であると言えるでしょう。世界の魚の総漁獲量の5分の1が日本人の口に入ると言います。魚を生で食べる寿司の文化を見れば明らかですね。日本のスーパーマーケットに行けば、日本の食材に用いる魚の種類はすごく多いのが分かります。

😀日本人はどんな魚が好きなのですか。

🙂寿司での定番はマグロですが、サバやアジ、サンマも好きですね。めでたい席では鯛が必ず出るし、毒のあるフグさえ好まれます。もちろん毒抜きしますが…。貝・イカ・タコ・エビ・カニはみな、欠かすことができない重要な食材です。ウニの珍味も人気です。

10 日本人はどんなお茶を飲むの？

🎵 1-10

What tea do Japanese drink at home?

 What kinds of tea do Japanese usually drink at home?

 There is a traditional and <u>ceremonial</u> way of drinking powdered green tea in Japan. We don't usually drink this type of powdered green tea. The kind of green tea we drink daily is <u>of lesser quality</u> and is called *sencha*.

☐ ceremonial
形 儀式的な；儀礼的な

☐ of lesser quality
品質がやや劣る

 I see. Do you drink <u>oolong tea</u> or <u>black tea</u>?

☐ oolong tea
ウーロン茶
☐ black tea 紅茶

 We usually drink *sencha* when eating Japanese food and oolong tea when having Chinese food. As for black tea, some people drink it with bread for breakfast. There are also many coffee drinkers. Other less orthodox teas such as <u>barley tea</u> and <u>roasted brown rice tea</u> are also popular. These can't be considered teas <u>in the truest sense of the word</u>, yet there is no other real way to refer to them.

☐ barley tea 麦茶
☐ roasted brown rice tea 玄米茶
☐ in the truest sense of the word
厳密な言葉の意味からすると

食やしきたりにまつわる"不思議"

日本の"アレ"を英語で言ってみよう！

抹茶に添えて出されることもある主な和菓子の英語を確認しましょう！

- 羊羹（ようかん）　　　sweet bean jelly
- 水羊羹（みずようかん）　soft sweet bean jelly
- 金鍔（きんつば）　　　wheat-flour dough-wrapped sweetened beans
- 大福餅（だいふくもち）　a rice cake stuffed with sweetened bean jam
- おはぎ　　　　　　　　a rice ball coated with sweetened bean jam
- 蕨餅（わらびもち）　　a bracken-starch dumpling
- 柏餅（かしわもち）　　a dumpling wrapped in an oak leaf
- 粽（ちまき）　　　　　a dumpling wrapped in bamboo leaves
- みたらし団子　　　　　skewered dumplings in a sweet soy glaze

深掘り！JAPAN！

- 和菓子の種類は、次の3種類に分かれます。
  ①水分20％以下＝**干菓子**（ひがし）（dry Japanese [米] candy/ [英] sweets）
  ②水分20％～40％＝**半生菓子**（half-dry Japanese candy/sweets）
  ③水分40％以上＝**生菓子**（unbaked Japanese candy/sweets）

- 抹茶に**茶道**（tea ceremony）があるように、煎茶にも**煎茶道**（Sencha tea ceremony）があります。煎茶道の祖の売茶翁ゆかりの寺は、宇治の萬福寺です。萬福寺は禅宗の一つである**黄檗宗**（おうばくしゅう）（the Ohbaku sect of Zen Buddhism）の大本山です。

- 日本の禅宗の3種
  臨済宗　開祖は栄西。抹茶の法を伝え、『喫茶養生記』を著した。
  曹洞宗　開祖は道元。只管打坐（しかんたざ）（＝ただ座ること）を重視。流派なし。
  黄檗宗　開祖は隠元。明朝風様式を踏襲。**左右対称**（bilateral symmetry）。

- 中国の主要な王朝の英語
  漢：Han／隋：Sui／唐：Tang／宋：Sung／元：Yuen／明：Ming／清：Qing
  ※「秦」は Qin と記述して、「清」の英語のつづりと微妙に異なる

---

p.28 の日本語訳

😊 日本人は普通家ではどんなお茶を飲んでいるの？

😊 日本は伝統的で儀礼的な茶道という抹茶を飲む作法の体系が存在しますが、抹茶は日常的には飲みません。通常は抹茶よりランクが下の煎茶を飲んでいます。

😊 なるほど。ウーロン茶や紅茶は飲みますか？

😊 日本食を食べる際は、緑茶が普通で、中華料理ではウーロン茶、紅茶は朝食のパンを食べる際に飲む人がいます。コーヒー好きも多いですが…。「茶」とつく麦茶や玄米茶も人気です。これらは厳密な意味では茶ではないですが…。他に言い方がないのです。

「キャラ弁」って何？

1-11

What is Character Lunch Box?

What is *Kyara-ben*?

"Kyara-ben" is a shortened way of saying "character bento." It is a lunch box in which famous characters' faces or figures are made of boiled rice or side dishes. Look at this.

- X is a shortened way of saying Y
  XはYの短い言い方である。

Why do you have one? Aren't you too old for that? Well, it does look cute. When did this kind of *bento* become popular?

- too old for ～
  ～が似合う年ではない
  （＝年を取り過ぎている）

This bento rose to popularity around 2007, and now people proudly show tens and thousands of *bento* over the Internet. However, since they use picks or toothpicks to achieve certain effects, some people criticize that this *bento* is not hygienic.

- rise to popularity
  人気が高まる
- tens and thousands of ～ 何万もの～
- over the Internet
  ネット上で
- toothpick
  名 つまようじ
- hygienic 形 衛生的

食やしきたりにまつわる **"不思議"**

日本の"アレ"を英語で言ってみよう！

「弁当」
a lunch box

「ご飯」
boiled rice

「おかず」
side dishes

深掘り！JAPAN！

- キャラ弁とは、弁当を見たとき、その中身が漫画・アニメ・芸能人などのキャラクターに見えるよう工夫した弁当です。中には、自動車や電車、自然の風景などを表す場合もあります。

- キャラ弁の発想の原点に、2つのことを挙げることができます。
  ①弁当を食べる人（主として子供）を喜ばせる。
  ②嫌いな食べ物も自主的に食べさせる。

- 上記の2つの目的のために、「材料が判別できないようにする」「美しさや驚きを生み出す」ことが重要とされました。

- キャラ弁の **萌芽** (harbinger) として、**料理研究家** (cooking expert / specialist) の沢田澄子氏が1975年に出版した『すぐに役立つ子供のお弁当』で、**そぼろ** (soy sauce-seasoned minced meat or fish) や **のり** (toasted laver) を使って動物の顔や車を描いたことが挙げられます。

- キャラ弁が **いじめ** (bullying) の原因になる、例えば、上手にできていない場合や、キャラクターの顔が崩れると笑われるなどがあるので、キャラ弁禁止の幼稚園も出てきました。

p.30 の日本語訳

😊 キャラ弁って何ですか。

😊 キャラ弁とはキャラクター弁当の略で、有名なキャラクターの顔や姿をご飯やおかずを使って作る弁当のこと。これを見てください。

😊 なぜそんなの持っているの。そんな年じゃないでしょう。でもかわいいですね。

このような弁当は、いつぐらいからはやっているのですか。

😊 2007年ぐらいから人気が高まって、今はネット上では何万種もアップされています。しかし、効果を考えてピックとかつまようじを使ってはいるので、そのような弁当は衛生面でよくないとか、批判する人もいます。

1章

31

12 門松の意味は？

◉1-12

What is the significance of *Kadomatsu*?

 Where does the habit of decorating an entrance with bamboo stalks to celebrate the New Year come from?

Besides outstanding bamboo stalks, pine branches and apricot twigs are also part of this decoration. Pine, bamboo and apricot plants are the most celebrated tree, grass, and flower respectively.

 What does that actually mean?

The celebratory ritual I mentioned is part of Japanese manners and customs. An entrance decorated this way is said to be like a welcome sign for a deity called "Toshigami." More accurately, the entrance with the decorations is thought to be the place he will manifest in our realm. The deity descends to the most auspicious and properly respected place.

- stalk 名 茎
- twig 名 小枝
- celebrated 形 名高い
- respectively 副 それぞれ
- celebratory 形 祝賀の
- ritual 名 儀式
- Japanese manners and customs 日本の風俗習慣
- a welcome sign for ～ ～を迎え入れる目印
- deity 名 (多神教の)神
- more accurately もう少し正確に言うと
- manifest in our realm (神が)我々の世界に降りてくる
- descend 動 降りる
- properly 副 ちゃんと

食やしきたりにまつわる"不思議"

日本の"アレ"を英語で言ってみよう！

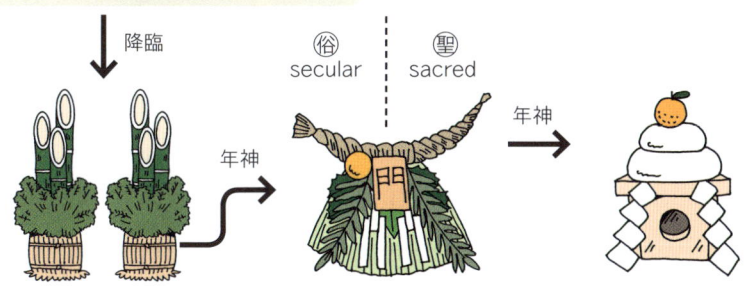

「年神」
the deity of the new year

※年神は、門松に降りて、しめ飾りで中が
神聖であるのを確認し、鏡餅に宿る

降臨 ／ 年神 ／ 年神

㊙ secular ／ ㊖ sacred

「門松」
the New Year's decorative pine branches

※年神は、降りる門松は依代（よりしろ）と呼ばれる

「しめ飾り」
a New Year sacred straw festoon

「鏡餅」
a New Year decoration of rice cakes with a bitter orange on top

※ bitter orange は「橙」のこと

深掘り！JAPAN！

- 門松は竹を中心に置くので竹が目立っていますが、門竹とは言わず、門松と言うのは、松が一番めでたい（auspicious）からです。
- 松竹梅は、**植物学的に**（botanically）、ちょうど**3分類**（divided into three categories）できるその**代表格**（representative）と言えます。
- 種子植物は**被子植物**（an angiosperm）と**裸子植物**（a gymnosperm）に分かれ、被子植物は**単子葉類**（monocotyledons）と**双子葉類**（dicotyledons）に分かれます。ちなみに、松は裸子植物、竹は単子葉類、梅は双子葉類です。
- 松は**陽木の長**（top of the yang trees）、竹は**陽草の長**（top of the yang grasses）、梅は**陽花の長**（top of the yang flowers）。

p.32 の日本語訳

😀お正月に飾る門松の習慣は何からきているの？
😀竹が目立っているけれど、松の枝と梅の小枝も添えています。松、竹、梅は、それぞれ最も誉れの高い木・草・花なんですよ。
😀実際にどういう意味があるの？

😀先に述べた門松の儀式は、日本の風俗習慣で、こんな風に飾られた入口は、トシガミという神さまを家に迎え入れるための目印みたいなものです。もっと正確に言うと、トシガミが降りてくるところです。神様は最もめでたくて、きちんと尊敬の念で満ちたところにしか降りないですから。

お盆って何？

🔊 1-13

What does "Obon" mean?

 What does "Obon" mean? It doesn't mean a tray, does it? I have learned that the Japanese word for a tray is "obon."

You are not wrong if you say that "obon" means a tray. However, the *Obon* you're referring to is a Buddhist ritual. During the *Obon* period, when the ritual is performed, ancestral spirits come back to visit their earthly homes. This belief is rooted in the feeling of respect Japanese have toward their ancestors.

- ☐ the Japanese word for A
  Aを意味する日本語
- ☐ X you're referring to
  あなたが言っているX
- ☐ ritual 名 儀式
- ☐ ancestral 形 先祖の
- ☐ be rooted in ～
  ～に根ざしている
- ☐ disciple 名 弟子
- ☐ descend into ～
  ～へ下降する
- ☐ the Buddhist hell of starvation
  餓鬼道（=hungry demons' world）
- ☐ conform with ～
  ～に合っている；～に適ったものである

 Does that mean that "Obon" is not actually a Buddhist ritual?

In Buddhism, there is an event called "Urabon'e," the origins of which can be found in an old story. "Mokuren, one of the ten greatest disciples of Gautama Buddha," the story goes, "saved his mother, who had descended into the Buddhist hell of starvation." This tale conforms with the Japanese practice of ancestral worship.

食やしきたりにまつわる "不思議"

日本の"アレ"を英語で言ってみよう！

| 「盂蘭盆会」
ullambana ; a Buddhist
event related to Bon | 「十大弟子」
the ten greatest disciples
(of Gautama Buddha) |

深掘り！JAPAN！

- 仏教の六道

天上界	heaven (=heavenly world ／喜びの世界)
人間界	human world (理性の世界)
修羅界	angry demons' world (感情の世界)
畜生界	animal world (本能の世界)
餓鬼界	hungry demons' world (強欲の世界)
地獄界	hell (=hellish world ／苦しみの世界)

- 仏教では上記の六道を**輪廻転生**（reincarnation）するのを断ち切り、**仏界**（＝Buddha's world [＝Buddhist paradise]）に生まれることを目的とします。

- carnation　カーネーション（carn は肉で「肉色の花」）
  ⇒ incarnation　化身（in [にする] ＋ carn [肉] ⇒「肉にすること」）
  ⇒ reincarnation　輪廻転生（re [再び] ＋ in [にする] ＋ carn [肉]）

- 日本の宗教を説明する３つの崇拝は「**先祖崇拝**（ancestral worship）」、「**英雄崇拝**（hero worship）」、「**自然崇拝**（nature worship）」で、神道はこの３つの崇拝が合わさって発展したと言えます。

- 仏教では「現世を生きている人が死者を救うことができる」という発想があり、それを英語で説明すると次のようになります。
  In Buddhism, people in this world can help save their ancestors suffering in the afterlife.
  （仏教では、先祖の苦しみを、今生きている人が救えるのです）

p.34 の日本語訳

😀お盆ってなんですか？ トレイの意味じゃないですか。日本語でトレイのことを盆と習ったのですが…。
😀お盆はトレイだと言っても間違いではありません。あなたが今言及しているお盆は、仏教の儀式です。この儀式が行われるお盆の期間は、先祖の霊がこの世に戻ってくるとされるので、日本の祖先崇拝にも根ざしたものですね。
😀じゃあ、完全な仏教行事ではないの？
😀仏教では盂蘭盆会というのがあり、釈尊の十大弟子の１人目連が餓鬼道に落ちた母の霊を救ったという伝説が起源です。これと先祖崇拝の習慣と親和性があるのです。

14 なぜ鬼を追い払うのに豆をまくの？

🔊 1-14

Why do you throw beans to chase away Oni?

 What are you doing?

 I'm throwing beans. This is a ritual we do during *Setsubun*, which is the day before the calendrical beginning of spring. It's meant to chase away Oni.

 Can you really drive off Oni with beans?

We throw beans, or "mame" in Japanese, because we have another word of the same sound, which means diligence, the least associated with Oni. "Mame" also sounds similar to "mametsu," which refers to the eradication of demons. Japanese believe that there is power in words or puns.

- ☐ calendrical 形 暦に関する
- ☐ chase away 追い払う
- ☐ drive off 追い払う
- ☐ another word of the same sound 同音異義語 (homonym)
- ☐ diligence 名 勤勉
- ☐ associated with ~ ~を連想して
- ☐ similar to ~ ~に似ている 👍
- ☐ refer to ~ ~を指す；~を意味する 👍
- ☐ eradication 名 根絶
- ☐ pun 名 しゃれ

iStock.com/yasuhiroamano

日本の"アレ"を英語で言ってみよう！

「節分」
the day before the first day of spring（最初の春の日の前日）
the day before the calendrical beginning of spring（立春の前の日）
the last day of winter in the traditional Japanese calendar（旧暦上の冬の最後の日）

深掘り！JAPAN！

- 鬼（demon）は「まめでない（not industrious）」から「まめなことを嫌う」。だから「まめ」と同じ発音の豆を嫌う。したがって攻撃するには豆が最適という**言葉遊び（wordplay）**ですが、これを真剣にとらえるのが日本的と言えます。

- 仏教の鬼は、**釈迦（Gautama）**により**改心する（mend one's ways）**可能性があるので、鬼の英語は demon が使用されます。善鬼は good demon と表現できます。

- これに対し、devil は改心しないキリスト教の**悪魔（Satan）**を表すのが普通です。「彼は改心の見込みがない」は He is **incorrigible** [past redemption]. と言います。ちなみに Satan に似た Saturn は「土星」なので注意。

- 豆まきの際、「**鬼は外、福は内（Out with the demons. In with good fortune.）**」が一般の掛け声であるが、鬼を祭っている神社やお寺では、「鬼も内」と言います。全国から払われた鬼を集め、仏教の力で改心させる奈良県吉野郡の金峯山寺蔵王堂は、「福は内、鬼も内」の口上なのです。

- 鬼を払うことができた豆は縁起の良い**福豆（good luck beans）**に変化します。だから**年の数だけ福豆を食べる**習慣に発展しました。

- 「"鬼は外"が根本的な解決になっていない」と言いたい場合は、"**Out with Oni!" doesn't solve the problem, because they still can linger outside.**（"鬼は外"は問題を解決していない。なぜなら鬼は外をうろうろできるから）で表現できます。鬼を**殺す（put to death）**のではなく、**払う（drive away）**というのが仏教的発想ですね。

---

p.36 の日本語訳

😊 いったい何をしているの？
😊 豆を投げているのです。これは立春の前日である節分の儀式みたいなもので、鬼をはらうという意味があります。
😊 豆で鬼が本当に追い払えるの？
😊 豆は、これと同音異義語があり「勤勉」を意味するのですが、これは鬼から最も連想できないことですね。また「魔を滅する」という意味の言葉「魔滅」が「豆」の発音に似ているので、豆を投げるのです。日本人は言葉や語呂合わせにもパワーが宿ると考えている向きがあります。

15 なぜ夜に口笛を吹いてはいけないの？
1-15

Why shouldn't we whistle at night?

Why shouldn't we whistle at night?

There are many reasons behind this. It was thought to possibly attract snakes, Oni, or evil spirits. It could also have been a signal used between burglars, even human traffickers in the past. The reason for not whistling at night varies from area to area.

You must feel uncomfortable when you hear someone whistle at night.

In the past, to whistle was to "usobuku," or to bluff or exaggerate. In this way, whistling conjures up a feeling related to negative behavior such as lying. It's no good to tell an untrue story or lie, right?

- whistle
  動 口笛を吹く

- possibly
  副 ことによると
- attract
  動 引きつける
- burglar 名 泥棒

- human trafficker
  人身売買をする人
- vary from A to A
  Aによって異なる
  （多様性を強調する）

- bluff
  動 空威張りする；
  はったりをかける
- exaggerate
  動 誇張する
- conjure up
  感情を呼び起こす
- It is no good to do ～
  ～するのは全然よくない。

食やしきたりにまつわる"不思議"

日本の"アレ"を英語で言ってみよう！

「悪霊」	「怨霊；御霊」	「蛇信仰」
an evil spirit	a revengeful spirit	the worship of snakes [=ophiolatry]

深掘り！JAPAN！

- **口笛**（whistle）自体に**マイナスイメージ**（negative ring）がありますが、「口」そのものにも日本文化ではマイナスイメージがあるのです。**口が軽い**（have a loose tongue）、**口汚い**（abusive）、**悪口**（abuse）、**陰口**（backbite）などが例として挙げられますね。「良口」や「陽口」などの表現はありません。

- 神社の**手水舎**（water pavilion）で、神聖な左手に水を入れて口をすすいだ後に、さらにその左手に水をかけるのも、口をつけてけがれた左手を清めるためです。

- 神社でのみそぎは、①左手を**清める**（purify）➡ ②右手を清める ➡ ③左手でカップを作って水を入れ、その水で口を**すすぐ**（rinse）➡ ④再度左手を清める ➡ ⑤**柄杓**（ladle）を立てて、**柄**（handle）を清めるという手順で行います（「清める」は柄杓にくんだ水で洗うこと）。58 ページに英語での説明があります。

- 西洋世界では、口笛を吹くことはマイナスイメージではありません。**He gave a wolf whistle to the good-looking girl.**（彼はかわいい女の子の注意を引こうと口笛を吹いた）のように、注目を浴びる目的で吹くことがあります。

- **リトアニア**では小悪魔を呼ぶことになるので、屋内での口笛は禁じられています。

CHECK 「～崇拝」を表す -latry

☐ **idolatry**（偶像崇拝）　☐ **heliolatry**（太陽崇拝）　☐ **monolatry**（一神崇拝）

monolatry と monotheism（一神教）との違いは、monolatry が他の神を認めつつ、1つの神を崇拝するのに対し、monotheism が他の神をいっさい認めないところです。monolatry の例としては**浄土信仰**が、monotheism の例としては**キリスト教**があります。

p.38 の日本語訳

😀どうして夜に口笛を吹いてはだめなの？
😀これにはいろいろな説があります。蛇が出る。鬼が来る。悪霊を呼ぶ。泥棒の合図、昔の人買いの合図などと考えられていたのです。夜口笛を吹かない理由は地方によって異なったりしています。

😀確かに夜の口笛を聞くのは気持ちのよいものではないに違いありません。
😀古い日本語で口笛を吹くことは「うそぶく」とも言うので、口笛は「うそ」というマイナスの行動と関係がある感情を呼び起こします。うそつきはよくないですからね。

1章

16 北向きに寝てはいけないの？

North-facing method of sleeping is not OK?

🎧 1-16

I'm told it's not good to have one's head facing north when sleeping in Japan. Is this true?

At a funeral we lay down the deceased with the head facing north. This is the reason we think it's not advisable to sleep this way.

Why are bodies placed with the head towards the north?

This requires some explaining. First of all, we call the deceased "Hotoke," or Buddhas. This is a result of the Buddhist dogma that "a person should be a Buddha after they die." A *Hotoke* is an enlightened person. Gautama Siddhartha is the archetype of someone who has reached spiritual enlightenment and the original Buddha. It's said that Gautama lied with his head facing north when he was on his deathbed. Therefore, *Kitamakura*, or north pillow in direct translation, is considered good luck contrary to the usual belief.

- ☐ the deceased　故人
- ☐ a person should be a Buddha after they die の部分の a person と they は数的に合わないが、a person は一般論で人のことを言っている（＝具体的な人ではない）ので複数で受けてよい。
- ☐ an enlightened person　悟りを開いた人；覚者
- ☐ Gautama Siddhartha　ゴータマシッダールタ（＝釈迦）
- ☐ archetype　名 原型；典型
- ☐ reach spiritual enlightenment　悟りを開く

食やしきたりにまつわる"不思議"

深掘り！JAPAN！

- **釈迦**（Gautama Buddha）は、頭を北にして、西を見るように横になったと言われています。すると、心臓が上に来て楽な姿勢となります。しかも、西の綺麗な**夕焼け空**（sky of the evening glow）を見ることになります。死者の魂は、「太陽が沈むので死を連想する西」へと誘われ、西には**西方浄土**（Western Paradise）があり、そこの仏である阿弥陀如来が死者を浄土へと誘います。

- 釈迦は、正確には、**シャカムニ・ゴータマ・シッダールタ**（Sakyamuni Gautama Siddhartha）といいますが、シャカは**氏**（clan）の名前、ムニは**尊いということを表す接辞**（honorific title suffix）、ゴータマは**姓**（family name）、シッダールタが**名**（first name）です。つまり釈迦は、「釈迦族の尊敬すべき人で、ゴータマ家のシッダールタさん」ということになります。

- 如来は代表的なものとして、以下のような4如来が存在します。それぞれ役割を果たしています。

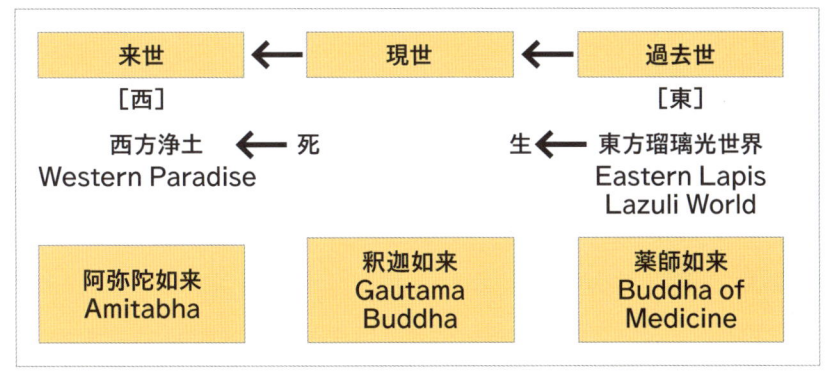

来世	←	現世	←	過去世
[西]				[東]
西方浄土 Western Paradise	←死		生←	東方瑠璃光世界 Eastern Lapis Lazuli World
阿弥陀如来 Amitabha		釈迦如来 Gautama Buddha		薬師如来 Buddha of Medicine

※←は生命の方向性。過去世の魂は薬師如来から薬をもらって現世に送り出され、この世の生から死までは、釈迦如来が導き、死後は、阿弥陀如来が西方浄土に魂を誘う。この一連の如来を大日如来（Buddha of the Universe）が統括する。

---

p.40 の日本語訳

😊 日本では頭を北にして寝るのがよくないと聞きましたが、本当ですか。
😊 葬式で故人を北枕にするのです。これが、北枕が縁起悪いと我々が思う理由です。
😊 では、なぜ故人を北枕にするの？
😊 これにはちょっとした説明が必要です。まず、死者は仏と呼びますが、これは「人は死んで仏になるべき」という仏教の教えの影響です。仏とは悟った人のことで、釈迦が悟りを開いた人の代表的人物です。釈迦は自らの死に接したとき、頭を北にしたと言われています。だから北枕は俗信とは逆に縁起がいいのです。

お役立ちコラム① 日本の食にまつわる3つのプチ情報！

おにぎりとおむすびの違い

弥生時代から食べられていたとされる握り飯は、おにぎりともおむすびとも言われます。

おにぎりとおむすびは微妙に異なり、この違いには次のような説があります。

握り飯の呼び方	違い（説）
おにぎり	俵型、湿った海苔使用、道具で作る、関西のもの
おむすび	三角型、乾いた海苔使用、手で作る、関東のもの

いずれにしても、おにぎりは「鬼切り」、おむすびは「お結び」で縁起がいいのです。

お箸のマナー

日本料理では、基本的にお箸を使いますが、次のような禁止事項があります。
- 差し箸：箸で人を指す（point at a person with chopsticks）
- 刺し箸：箸でおかずなどを刺す（stick into ingredients with chopsticks）
- 渡し箸：箸を椀などに渡す（cross chopsticks over a bowl）
- 箸渡し：箸から箸へおかずなどを渡す
  （give something to someone with chopsticks）
- 涙箸：箸の先から汁が垂れる
  （drip liquid from the tips of the chopsticks）

健康十訓

江戸中期の俳人である横井也有が、健康のコツを10にまとめています。
- 少肉多菜（Little Meat, More Vegetables）：肉は控えて野菜を多く摂りましょう。
- 少塩多酢（Little Salt, More Vinegar）：塩は控えて酢を多く摂りましょう。
- 少糖多果（Little Sugar, More Fruits）：糖は控えて果物を多く摂りましょう。
- 少食多噛（Little Food, More Bites）：食べ過ぎるよりもよく噛みましょう。
- 少衣多浴（Wear Less, Bathe More）：厚着を避けて日光浴と入浴を多めにしましょう。
- 少車多走（Drive Less, Walk More）：車の乗り過ぎを避け自分の足で動きましょう。
- 少憂多眠（Worry Less, Sleep More）：くよくよせずにたくさん眠りましょう。
- 少憤多笑（Less Anger, More Smiles）：いらいらせずにたくさん笑いましょう。
- 少言多行（Speak Less, Act More）：文句は言わずにまず実行しましょう。
- 少欲多施（Less Desire, More Devotion）：自分のことばかりせず人の役に立ちましょう。

2章

神社や寺にまつわる "不思議"

訪日外国人が訪れる観光スポットとして上位に挙げられ、また、私たち日本人にとっては身近な、「神社」や「お寺」に関する話――参拝方法や除夜の鐘など11のトピックについて――を、英語でしてみましょう。

テーマいちらん
神社／寺／拍手／如来／菩薩／鳥居／大仏／日本の神様／手水舎／みそぎ／参拝／除夜の鐘

17 神社とお寺ってどう違うの？

🔊 1-17

What is the difference between the shrine and the temple?

What are some of the differences between a shrine and a temple?

If you find a gate consisting of two vertical poles with two horizontal bars on top, you are in front of a shrine. It is called Torii. A shrine belongs to Shintoism, a religion native to Japan.

I see. Oh, the one over there seems to be the gate of the shrine. The one painted red, right?

You are right. And if you find some Buddhist images or a five-storied pagoda, you are in a temple. Not every temple has the pagoda, though. A temple belongs to Buddhism, which was officially introduced to Japan in the 6th century.

- ☐ consist of ～
  ～から成る；構成される 👍
- ☐ vertical 形 垂直の
- ☐ with O+C
  OがCの状態で
- ☐ horizontal
  形 水平の
- ☐ belong to ～
  ～に属する 👍
- ☐ native to ～
  ～に土着の
- ☐ one は a ～を簡単に言い換えたものである。
  例 Have you ever seen **a pagoda** in a temple? No, I have never seen **one**.
  「お寺で塔を見たことがありますか？」
  「いいえ、ありません」
  ※ over there などで修飾されると the がつく。

- ☐ officially introduced
  正式に伝えられた
  (＝公伝の)

神社や寺にまつわる "不思議"

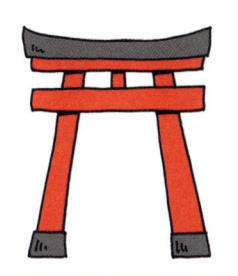

日本の "アレ" を英語で言ってみよう！

「鳥居」
a gate of a Shinto shrine
※神道の神社の門

「仏像」
a Buddhist image
※彫刻や絵画
a Buddhist statue
※彫刻

「五重塔」
a five-storied pagoda
※ a five-story pagoda

深掘り！JAPAN！

- 神社は基本的には、日本の神々のための仮の住まいです。だから神**を祭っている**（**enshrine**）神殿（**sanctuary**）には容易に近づけません。そこで**拝殿**（**oratory**）が用意されるのです。

- お寺は人間のために建てられた総合的宗教施設と言えます。というのは、一番重要な**本尊**（**the object of worship**）が祭られている**本堂**（**main hall**＝奈良のお寺では「金堂」と呼ぶ）、講義を受ける**講堂**（**lecture hall**）や**経堂**（**sutra storage**）などがあるからです。

- 五重塔の「五」の意味：宇宙の5つの構成要素（＝五大）の地・水・火・風・空を表します。それぞれが象徴する形が決まっています。

5階＝空（void）	空間（space）	宝珠形（gem shape）
4階＝風（wind）	気体（gas）	半珠形（hemisphere）
3階＝火（fire）	反応（reaction）	三角形（triangle）
2階＝水（water）	液体（liquid）	球形（sphere）
1階＝地（earth）	固体（solid）	方形（square）

p.44 の日本語訳

😊 神社とお寺の違いは何ですか。
🧒 2つの横木が上に渡してある2本のポールから出来た門が見えたら、あなたは神社の前にいます。それは鳥居と言います。神社は神道という日本古来の宗教に属しています。

😊 なるほど、向こうにある門は神社の門みたいですね。赤く塗られた門、そうでしょ？
🧒 その通りです。そして、もし仏像や五重塔があれば、あなたはお寺の中にいます。全てのお寺がその塔を持っているわけではありませんが…。お寺は6世紀に日本に伝来した仏教に属しています。

18 どうして柏手を打つの？

Why do people clap their hands?

🎧 1-18

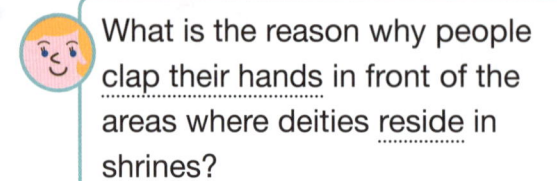

What is the reason why people clap their hands in front of the areas where deities reside in shrines?

The energy emitted by the vibration of clapping hands energizes the deities' souls, resulting in an increase of their divine power. With this, the deities become pleased enough to bless us with happiness. Simply put, we become happy by clapping.

It's not that we are clapping because we are happy, but rather we clap in order to be happy, right?

From the Shinto perspective, that is right. Incidentally, the reason that we push around some portable shrines rather violently is also to please deities through the shaking and banging of the shrine.

- ☐ cap one's hands
  拍手する；柏手を打つ
- ☐ reside
  動 住む；鎮座する
- ☐ emit 動 放射する
- ☐ energize
  動 活性化する
- ☐ result in ～
  ～をもたらす
- ☐ divine power
  聖なる力；神威
- ☐ bless 人 with ～
  人を～で満たす
- ☐ from the ～ perspective
  ～の視点から
- ☐ incidentally
  副 ちなみに
- ☐ portable shrine
  お神輿（みこし）

神社や寺にまつわる　"不思議"

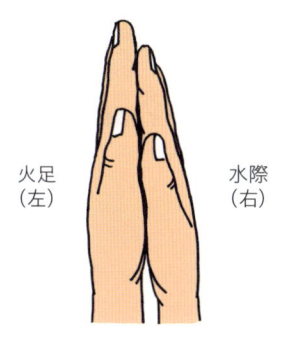

日本の"アレ"を英語で言ってみよう！

火足（左）　水際（右）

「柏手を打つ」
clap one's hands

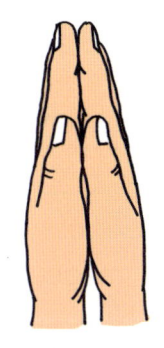

「合掌する」
join one's hands peacefully

2章

深掘り！JAPAN！

- 左は**火足**。火は**上を目指す**（go upward）ので、左は神の方向を表します。水は**水際**。水は**下に流れる**（go downward）ので、右は人の方向を表します。このことから柏手を打つ左手は**神**（deity）、右手は**人**（human）を**象徴します**（symbolize）。

- 一方、仏教では、右が**仏の世界**（Buddha's world）、左が**人の世界**（human world）を表し、**合掌**（joining hands in peace）は、「人の世界が仏の世界になるように」との祈りの意味があるとされています。(詳しくは P61 の「深掘り！JAPAN！」参照)

- 神社での拍手は神霊を震わす行為で、**民俗学的には**（from the folkloric point of view）、**魂振り**（soul energization）という。日本人が楽しむ音を発する行為、例えばカラオケなども神道流に解釈すれば「魂振り」ということになります。魂振りは神を喜ばせる行為なので、結果として自分も幸せになるのです。

---

p.46 の日本語訳

😊 神社の神殿の前で手をたたくのはどうしてなの？

😊 手をたたいたときのエネルギーが神霊を震えさせ、その結果、神の威力が増し、神は喜び、我々を「福」で満たします。簡単に言えば、拍手によって、われわれは幸せになるというわけです。

😊 幸せだから拍手するのではなく、拍手するから幸せということですか？

😊 神道の発想ではそうです。ところで、お神輿（みこし）を激しく振り動かしたりするのも同じことで、神を喜ばせるためです。

19 如来と菩薩はどう違うの？

🔊 1-19

How are *Nyorai* and *Bosatsu* different?

I have heard of two kinds of Buddhist images: *Nyorai* and *Bosatsu*. How are they different?

Nyorai is an enlightened one, the same as a Buddha. Worshippers pray mostly to *Nyorai*, so it is in many cases an object of worship and is superior to *Bosatsu*, or Bodhisattva in English.

Bodhisattva is lower in rank?

A Bodhisattva can be said to be trailing a step behind *Nyorai*. He or she is dedicated more to saving people than to attaining spiritual enlightenment. So, a Bodhisattva is usually an attendant to Buddha. We can safely say that Bodhisattvas help Buddha and save people.

- ☐ **Buddhist images** 仏像 (images of Buddha とすると如来像のみのことになる)
- ☐ **enlightened** 形 悟りに達した
- ☐ **worship(p)er** 名 礼拝者
- ☐ **object of worship** 崇拝の対象
- ☐ **superior to ~** ～よりもすぐれて
- ☐ **trail a step behind ~** ～よりも一段階前の状態である
- ☐ **A (人など) is dedicated to Ving** AがVすることに身をささげる
- ☐ **attain** 動 到達する
- ☐ **spiritual enlightenment** 悟り
- ☐ **attendant** 名 従者

神社や寺にまつわる "不思議"

日本の"アレ"を英語で言ってみよう！

どの如来に対し、どの菩薩が脇侍（attendant）になるかは決まっている！

阿弥陀如来		釈迦如来		薬師如来	
勢至菩薩	観音菩薩	普賢菩薩	文殊菩薩	月光菩薩	日光菩薩
↑	↑	↑	↑	↑	↑
脇侍		脇侍		脇侍	

「本尊」	「脇侍」（わきじ・きょうじ）	「悟り」
an object of worship	an attendant to (Buddha)	spiritual enlightenment

※如来の脇に置かれる菩薩

深掘り！JAPAN！

- 仏像の4分類

仏像	英語	機能
如来	Buddha	an object of worship（本尊）
菩薩	Bodhisattva	an attendant to Buddha（脇侍）
明王	a deity of fire	an incarnation of Buddha（化身）
天	a heavenly deity	a guardian deity for Buddhism（守護神）

※明王は不動明王、孔雀明王、大元帥明王など。天は帝釈天、梵天、弁財天、大黒天が有名

- 具体的にどんな如来や菩薩が存在するかについては、次のように説明できます。

Among the Nyorai there are such enlightened beings as Yakushi, Shaka, Amida and Dainichi, while the Bosatsu can count Kannon, Monju and Jizo in their number.

（如来には薬師、釈迦、阿弥陀、大日など悟った存在が、菩薩の仲間には観音、文殊、地蔵などがいます）

※ count ~ in one's number（仲間に~を数える→~を仲間に入れる）

p.48 の日本語訳

😀 仏像に如来と菩薩があると聞きました。どう違うのですか。

😀 如来は仏と同意で、悟った存在で、主にお寺の本尊（祈りの中心的な対象）であることが多いです。というのは菩薩よりも格が上で最高の存在だから。

😀 菩薩は格下ですか？

😀 如来の一歩手前という感じです。悟る前に人を救うことを心に決めた存在です。だから如来の脇侍となるのが普通です。菩薩は如来を助け、人を救う存在と言ってよいでしょう。

20 神社の前の赤いゲートは何ですか?

1-20

What is the red gate before a Shinto shrine?

What is the red gate before a Shinto shrine?

It is called "Torii" in Japanese. It separates the sacred space from the mundane world.

In a Buddhist temple, there is a large gate set up facing south. Are Shinto gates built likewise facing south?

In Buddhism, the essence of holiness, or Buddha, lies to the north. Therefore, the great gate is built as a south entrance leading northward to Buddha. In Shinto, the gate, or *Torii*, is set up before a shrine or a deity. This does not mean that a Shinto gate always faces south. For example, if a holy hill or mountain is treated as an object of worship and is only accessed by traveling east, its gate is set up in the west. Where a *Torii* is built depends on where a deity lies.

- sacred 形 聖なる (⇔ secular)
- mundane world 俗世間
- face south 南面する
- likewise 副 同じく
- essence 名 本質
- holiness 名 神聖
- lie ＋前置詞 / 副詞 ～に位置する
- northward 形 北へ向かう 副 北へ

神社や寺にまつわる"不思議"

日本の"アレ"を英語で言ってみよう！

「南大門」
the South Great Gate (of a Buddhist temple)

「御神体」
the divine body of a Shinto deity

深掘り！JAPAN！

- 神社にある鳥居は、大きく2系列があり、「神明鳥居」と「明神鳥居」があります。「神明」と「明神」で漢字が逆です。「神明鳥居」は **symmetry**（対称）と聞こえますが、実際に対称的です。

- 鳥居の真ん中を通りぬけてはいけません。真ん中は正中と言って、神様の通り道です。

- 禅宗では「南大門」を特に「三門」とか「山門」とか言います。「三門」は、**三解脱門**の略で、次の3つの境地を経て仏国土（**阿弥陀仏の極楽浄土** [＝**Western Paradise / Western Pureland**] など）に至る門とされています。
  【空門】一切（everything）は空（void / insubstantial）と悟ること
  　　　　⇒ Everything is nothing. と悟ること
  【無想門】何も思わない境地（imagine nothing）
  【無願門】何も願わない境地（wish nothing）

- 鳥居のまっすぐ前に神殿が位置しない理由は3つあります。
  ①神の力が鳥居から逃げないようにする
  ②鳥居の位置から神を拝まれないようにする
  ③敵が攻めにくいようにする

---

p.50 の日本語訳

😊 神社の前の、あの赤い門は何ですか。
😀 あれは鳥居と言って、俗なる世界と聖なる世界を分ける役割をしています。
😊 お寺の門は南に大きいのがありますね。この鳥居も南にあるのですか。
😀 仏教では聖なる存在（仏）は北におられるので、仏に向けて北へ導く南大門を建てるのですが、神社の場合は、神道の神殿やご神体の前に鳥居を置くので、南とは限りません。聖なる山（ご神体）が東にあれば、鳥居は西に造られます。どこに鳥居が建てられるのかは神の存在する位置に依存します。

21 日本一大きな大仏は何ですか？

🔊 1-21

What is the largest Buddha in Japan?

I was impressed when you told me that the height of the great bronze seated Buddha statue in Nara Prefecture is 14.98 meters. However, I also have heard of a Buddha representation larger than that.

The Buddhist image greater than Great Buddha in Nara is a standing statue.

Are there standing statues of Great Buddha?

Yes, there are. The Buddha statue in Ushiku City, Ibaraki Prefecture, is 100 meters tall and stands on a 20-meter pedestal. So the total height is 120 meters, the tallest in Japan. This Buddha statue is listed as the tallest in the world according to Guinness World Records.

- 「座高」は seated height ではなく、the height of a seated statue（坐像の高さ）とする。
- seated Buddha statue　坐像の仏像
- hear of ～　～のことを（間接的に；うわさで）聞く
- representation　名 彫刻；肖像
- 20-meter pedestal　20mの台座
  ※数詞と単位を表す単語をハイフンでつないで複合形容詞を作るときは、単位を表す単語を複数形にしない。なお、文脈から20-meter pedestal は 20-meter-high pedestal（20mの高さの台座）と分かるので、ここでは high を省略している。
- list　動 ～をリストアップする
- Guinness World Records　ギネス記録

神社や寺にまつわる "不思議"

日本の"アレ"を英語で言ってみよう！

「立像」
a standing statue

※慈悲の実践を表し、菩薩が多い
※statue と似たつづりの単語に注意
 ⇒ statute（法令；[企業の]規則）／
   stature（身長；[精神的な]高さ）

「坐像」
a seated statue

※悟りを表し、如来が多い

2章

深掘り！JAPAN！

- 奈良の大仏は、正式にはビルシャナ仏で、**仏の中の仏**（Buddha of Buddhas）、または、**Buddha of the Universe**（**宇宙仏**）と言えます。
- この奈良の大仏は、**真言宗**（the Shingon sect of Buddhism）などの**密教**（esoteric Buddhism）では**大日如来**（Great Sun Buddha）に当たります。
- **神仏習合**（Japanese syncretism）の考えでは、奈良の大仏と**アマテラス**（Great Sun Goddess）が**同一視**（identify）されます。

CHECK 「○○アップ」という和製英語

- ◆ リストアップ ▶ **list the items**（項目／商品をリストアップする）
- ◆ ピックアップ ▶ **pick out**（選ぶ）
- ◆ レベルアップ ▶ **raise the level of the ability**（能力をレベルアップする）
- ◆ イメージアップ ▶ **improve the image of the company**（会社をイメージアップする）

p.52 の日本語訳

😊 この奈良の鋳造仏の坐像は座高が 14.98 m と言いましたね。凄いと思いますが、もっと大きい仏像があると聞きました。
😊 奈良の大仏より大きいのは立像の大仏です。

😊 立像の大仏もあるのですか？
😊 はい、茨城県牛久市の牛久大仏は、高さ120m（像高100m、台座20m）で、日本一の高さです。この像はギネスブックにも登録されているので、世界一でもあります。

22 日本の神様の特徴は何ですか？

🎵 1-22

What are the characteristics of Japanese deities?

I understand that Shinto, as a polytheistic religion, has a myriad of gods. Are there any other characteristics about Japanese deities other than this?

Besides what you mentioned, another interesting thing is Japanese deities do not make decisions alone. They confer and decide.

Will you give an example?

The deities Izanagi and Izanami, according to Japanese mythology, asked a god in heaven why their first child was born disabled. The married couple didn't bother to come up with an answer alone. The god in heaven, without thinking about it, turned to fortune-telling for the answer. Even gods in heaven depend on fortune-telling.

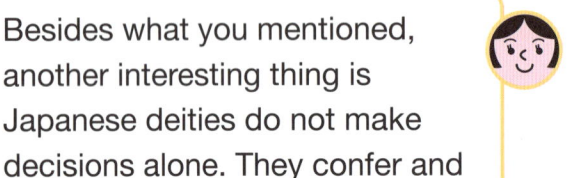

- ☐ polytheistic religion　多神教
- ☐ a myriad of gods　八百万（やおよろず）の神々
- ☐ deity　名（多神教の）神
- ☐ confer and decide　会議で決定する
- ☐ mythology　名 神話
- ☐ born disabled　障害児として生まれる
- ☐ bother to do ～　わざわざ～する
- ☐ come up with ～　～を考え出す
- ☐ turn to ～　～に頼る
- ☐ fortune-telling　占い

神社や寺にまつわる "不思議"

深掘り！JAPAN！

- 仏教は、**多神教的**（polytheistic）ですが、**仏**（Buddha）は**神**（deity）とは異なるので、完全な多神教とは言えない面もあります。
- **禅仏教**（Zen Buddhism）は、歴史的な**釈迦**（Gautama Buddha）を重視し、神自体の存在を言わない面があるので、**無神論的**（atheistic）と言えます。
- 一方、**阿弥陀仏教**（Amida Buddhism = Pureland Buddhism）は、他の仏を認めるものの、**阿弥陀仏**（Amitabha）のみを重視するため、**一神教的**（monotheistic）と言えなくもないです。他の神々を認めながらも1つの神を重視する教えを **monolatry**（**一神崇拝**）と言って、一神教（他の神を認めない）と区別することがあります。
- P.54 の会話の最後に、This is why ～（だから～である）を使って、次のように付け加えてもいいですね。

  This is why it is understandable that Japanese people like to rely on fortune-telling.
  （だから日本人の占い好きはうなずけます）

CHECK 世界の宗教

- ◆ **多神教** ▶ **polytheistic religion / polytheism**
  ⇒ 神道（Shintoism）、ヒンドゥー教（Hinduism）、道教（Taoism）
- ◆ **一神教** ▶ **monotheistic religion / monotheism**
  ⇒ キリスト教（Christianity）、イスラム教（Islam）、ユダヤ教（Judaism）
- ◆ **ギリシャ神話**の神々などが自分自身で何でも決めると英語で説明してみましょう。

  The Judeo-Christian God and Greek gods are independent and individual decision makers.
  （西洋の神やギリシャの神々は自立して、一人で決めます）

---

p.54 の日本語訳

😊 神道は多神教なので沢山の神様がいますね。日本の神々について、何か他に特徴がありますか？

😊 今おっしゃったことに加えて、他に興味深いのは、日本の神様は何でも一人では決めないのです。会議して決めるのです。

😊 具体例を挙げてください。

😊 日本神話によると、夫婦神、イザナギとイザナミの最初の子が不具であった理由を自ら考えず、天の神に聞きました。すると、天の神も、自ら考えず、占いで答えを出しました。天の神様ですら占いに頼るのです。

23 お寺と神社の数は？

🔊 1-23

How many temples and shrines are there in Japan?

I know that Buddhist temples and Shinto shrines are two traditional religious buildings in Japan. How many temples and shrines are there in Japan?

There are about 76,000 temples and about 85,000 shrines. The number of convenience stores stands at over 50,000. There are more temples and shrines than convenience stores in Japan.

Are more temples and shrines concentrated in Kyoto and Nara?

The most famous temples and shrines are typically found in those two cities. However, Aichi Prefecture is ranked first in the number of temples in one prefecture. Osaka Prefecture is second, followed by Hyogo Prefecture in third. The number of temples is in direct proportion to population, while shrines are randomly scattered in most parts of Japan.

- ☐ the number of A stand at B
  Aの数はBある

- ☐ be concentrated in ～
  ～に集中している
- ☐ typically 副 大体は
- ☐ be in direct proportion to ～
  ～に正比例する
- ☐ randomly
  副 無作為に
- ☐ scatter 動 散在する

神社や寺にまつわる"不思議"

日本の"アレ"を英語で言ってみよう！

「コンビニ」
a convenience store

「百円ショップ」
a hundred-yen store

「量販店」
a volume seller

「ホームセンター」
a hardware store / a DIY store / a home improvement retailer

深掘り！JAPAN！

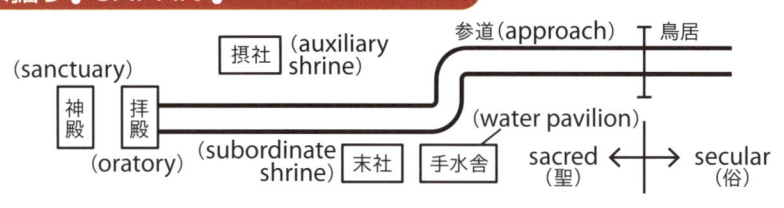

```
                    摂社 (auxiliary shrine)    参道 (approach)    鳥居
(sanctuary)                                 ┐
  神殿  拝殿                                  │   (water pavilion)
        (oratory)  (subordinate shrine) 末社  手水舎   sacred ←→ secular
                                                      (聖)     (俗)
```

- 神社は「森の鎮守」というように森にあることも多いので、全国に散らばっています。なお、「A（モノ）がB（場所）に散在する」は2つの言い方があります。1つは〈**A is scattered in B.**〉で、Shrines are scattered all over Japan.（神社が日本中に散在している）のように使います。もう1つは〈**B is dotted with A.**〉で、Japan is almost equally dotted with shrines.（日本には神社がほぼ等間隔に点在している）のように使います。

- お寺は江戸時代以降檀家制度（**long-term affiliation system between temples and households**）が確立し、人口の多いところに建てられるようになったのです。

- 全国に1000店以上あるコンビニは、セブンイレブン、ローソン、ファミリーマート、サークルKサンクス、ミニストップ、デイリーヤマザキ、セイコーマート（北海道中心）の7チェーンで、全コンビニの93%以上を占め、トップ3（セブンイレブン 17,569店舗、ローソン 12,276店舗、ファミリーマート 11,352店舗［全て国内］）で全体の**約7割**（**account for about 70%**）を占めます（2015）。

---

p.56の日本語訳

😊日本には、伝統的な宗教施設として、お寺と神社がありますが、日本全国にどれくらいあるの？

😄お寺は76000ぐらいあり、神社は85000ぐらいあります。コンビニは50000店を超えていますが、お寺や神社の数には負けます。

😊やはり京都や奈良にお寺が多いのですか？

😄そこには有名なお寺や神社が多いですが、愛知県は寺の数でトップの県です（5145寺）。因みに2位、3位は、大阪、兵庫です。お寺は人口に比例して存在しています（人口の多い所に多い）が、神社はほぼ全国に散らばっています。

24 手水舎での"みそぎ"ってどうやるの？

🔊 1-24

How do you purify yourself at a water pavilion?

Is there any particular meaning behind the washing of hands at a shrine's wash basin?

You're supposed to purify yourself before paying your respects to the god or gods. In Shinto, it's essential to do away with filth.

Is there any formal way to do it? It isn't as simple as just dunking my hands in the water and wiping them with my handkerchief, right?

Right. First of all, you scoop water into the ladle and pour it over your left hand, then hold the ladle in your left hand and wash your right hand clean. After that, cup your left hand and fill it with water from the ladle to sip and purify your mouth. Next, rinse your left hand again to complete the bodily purification process. Finally, you hold the ladle vertically so the water runs down the handle to clean the ladle itself. The basic rule is to do all this with just one scoop of water.

- wash basin
  （手水舎の）手を洗う場所
- do away with 〜
  〜を除く
- filth 名 ケガレ
- dunk 動 浸す
- ladle 名 柄杓
- cup one's left hand
  左手でカップを作る
- The basic rule is to do 〜　〜するのが原則である。
- basic rule　原則
- with just one scoop of 〜
  〜を一杯すくっただけで

神社や寺にまつわる"不思議"

日本の"アレ"を英語で言ってみよう！

ケガレを払ってくれるものは4つあるとされている。

祓い	具体例
塩	相撲での塩、盛塩（piles of salt at the entrance）の習俗
火	松明（a flaming torch）、ドンド焼き（New Year's burning）
水	手水舎での清め（purification）、流し雛（ケガレを水に流す）
幣	御幣（a wand with white paper streamers）の利用

深掘り！JAPAN！

- ケガレとは？
  神道では**ケガレ**（Shinto defilement）を最も嫌います。ケガレは死と血が代表的。ケガレは〈「ケ（＝エネルギー）」＋「枯れ（＝枯渇）」〉のこと、つまり**エネルギーが枯渇した状態**（depletion of energy）のことです。

- このケガレ状態を回復させるのに、**ハレ**（sacred）の儀式が必要です。ハレの儀式とは祭りを意味します。

- ハレに対し、**ケ**（secular）が対立概念（dichotomy）です。「ケ」は食と関係します。だから、「あさげ（＝朝ご飯）」や「ゆうげ（＝晩ご飯）」という言葉があります。

- また、ケはエネルギーであるため、**エネルギーが病む状態**（decrease in energy）が「病気」ということになります。その**エネルギーを元の状態に戻す**（restoration of energy）ことが「元気」ということになります。

- これまで述べた「ケガレ」と「ハレ」と「ケ」は**循環する**（circulate）とされています。「ケガレ」➡「ハレ」➡「ケ」➡「ケガレ」…というように流れると、**日本民俗学**（Japanese folklore）では主張しています。

---

p.58 の日本語訳

😀神社の手水舎で手を洗うのは何か特別な意味があるの？

😀神様に祈る前に、身を清めるためです。神道ではケガレを払うことが必須だからです。

😀その正式な作法もあるのですか。単に手を水に浸して、ハンカチで拭くということではないですよね。

😀そうです。まず、柄杓に水を入れて、左手を水で清め、柄杓を左手にもちかえて、右手を清めます。その後、左手をカップにし水を入れ、その水で口をすすぎ、また、左手を体全体の清めを完成させます。最後に柄杓を垂直に立て、水を下に流して柄を清めます。1回入れた水で、このすべてのことを行うのが原則です。

25 神社での祈り方ってどうやるの？

How should I pray at a shrine?

🔊 1-25

Are there any rules to follow when you pray at a shrine?

At shrines we basically make two formal bows, clap two times, and then give one more formal bow. After offering two deep bows, with your head lowered at 90 degrees to show your deepest respect, put together your hands with the left one placed a little higher and then clap twice.

Do you make a wish after clapping?

We do indeed. We clap to express our respect to the <u>residing god</u>. If the god <u>acknowledges</u> our respect, we symbolize this by sliding the right hand up so the fingertips of both hands are at the same level. We are now able to <u>converse with</u> the god <u>on an equal standing</u>. This is when we make our wishes.

- ☐ residing god
  そこに存在している神（祭神のこと）
- ☐ acknowledge
  動 受け入れる
- ☐ converse with 〜
  〜と話をする
- ☐ on an equal standing
  同じ立場で

神社や寺にまつわる **"不思議"**

日本の "アレ" を英語で言ってみよう！

祈りの手順の6段階
① さい銭を投げ入れる (toss)。〈お金にケガレを付着させ、それを投げ入れてケガレを払う〉
② 鈴を鳴らす。〈悪霊 (evil spirits) を退散させる〉
③ 2回、拝 (＝深い90度の礼) をする。〈神に対する深い尊敬 (respect) を示す〉
④ 2回、拍手する (clap)。〈これが魂振り (soul energization) となり、神の威力が増大する〉
⑤ お祈りをする。〈1つの祈り (感謝→願い→決意) を述べる〉
⑥ 1回、拝をする。〈正式な祈りを、感謝をこめて締めくくる儀式〉
※〈 〉内は、それぞれの行為の意味。前後に一揖 (イチユウ：軽い礼) を入れると更に正式。

深掘り！ JAPAN！

- 神社の構造は**拝殿 (oratory)** と**神殿 (sanctuary)** の**二重構造 (double structure / dual structure)** になっています。神様を拝むための拝殿が前にあり、神様を祭っている神殿は背後にあります。通常は拝殿の前に**さい銭箱 (offertory box)** があり、そのさい銭箱の前で**一般参拝客 (ordinary visitors to a shrine)** はお祈りをします。

- 神社に入るのに鳥居をくぐる必要があります。鳥居を真ん中からくぐったり、**参道 (an approach to the sanctuary)** の真ん中を歩くのはよくないとされています。真ん中は「正中」と呼ばれ、神様の通り道だからです。

- 日本は古来左を重視してきたので、二拍手のときに左手をやや上にします (P47)。

- 一方、仏教では右を重視します。
  右手：仏の世界を表す　➡　菩提 (＝悟り：spiritual enlightenment) を表す
  左手：人の世界を表す　➡　煩悩 (＝迷い：fundamental suffering) を表す
  ※合掌は、人が仏になりますようにという願いを表し、煩悩即菩提をも表す。
  ※煩悩は worldly desires、earthly desires、fleshly desires と訳せる。

- したがって、仏教寺院において、**順路 (the suggested route for visitors)** は**右回り (clockwise)** が基本です。

p.60 の日本語訳

😊 神社でのお祈りの方法に何か決まりはあるのですか。
😊 神社では、二礼二拍手一礼がお祈りの基本とされています。二回深い90度の礼をして神様に対する最高の敬意を表明します。その後、左手を少し上にずらして手を合わせ、2回拍手します。
😊 お願い事をするのは、拍手の後ですか。
😊 そうです。拍手も祭神に対する敬意を表し、敬意が十分に示されると、神人合一するので、拍手後指先を揃えて合掌します。ここで、神様と同じレベルでお話できるのです。このときにお願い事をします。

26 なぜ寺は108回鐘を鳴らすの？

Why does the temple toll the bell 108 times?

On the last night of the year, at temples they toll the bell one hundred eight times. Does this number signify anything?

One idea is that humans have one hundred eight worldly desires, which we get rid of by striking the bell one hundred eight times.

Where did that number come from?

Gautama taught that life was an agony, and that this can be attributed to worldly desires. The phrase "shikuhakku," meaning "agony," is pronounced the same as 4×9 8×9. This expression happens to total one hundred eight.

- on the last night of the year
  大みそかの夜に
- toll
  動 鐘をゆっくりとつく
- worldly desire
  煩悩
- agony 名 苦
- X is attributed to Y.
  Xの原因はY
- total
  動 合計で〜になる

神社や寺にまつわる "不思議"

日本の"アレ"を英語で言ってみよう！

「大みそか」
New Year's Eve

「忘年会」
**a year-end party;
a forget-the-year party**

「大掃除」
**a general house cleaning
at the end of the year**

「元日」
New Year's Day

※「大掃除をする」の英語に spring-clean があるが、春に行われるから

※元旦は the morning of New Year's Day なので、元日と元旦は違う

深掘り！JAPAN！

● 本文で紹介したのは俗説（popular theory）で、仏教の教えではありません。実際には、108という数字は、次のような計算に基づくという説があります。

六根×6つの悪い心×3つの時制（過去・現在・未来）＝108

六根（six senses）とは、眼［sight］・耳［hearing］・鼻［olfaction］・舌［taste］・身［sense of touch］・意［will］のこと。
そして6つの悪い心とは、貪［avarice］・瞋［anger］・痴［stupidity］・疑［doubt］・慢［arrogance］・見［wrong way of thinking］のこと。

● 仏教では四聖諦という真理を釈迦が説いたとされます。

真理	時と因果関係	真理の内容
苦諦	現在における結果	人生は苦である
集諦	過去における原因	苦の原因は煩悩である
滅諦	未来における結果	未来に楽を作れる
道諦	現在における原因	楽のために八正道を歩め

※現在の結果（＝苦）は過去の原因（＝煩悩）によるので、未来の結果（＝楽）のためには現在にその原因（＝八正道）を作るとよいということになる。八正道とは、解脱の境地に至る修行の基本となる8つの徳のこと

p.62 の日本語訳

😀 大みそかに除夜の鐘といって、お寺では鐘を108回ついているとのことですが、108回の鐘には何か意味があるのですか。

😀 人間には108個の煩悩があるとされていて、それを全て打ち払うために108回鐘を鳴らすという考えがあります。

😀 108という数字はどこから出てきたのですか。

😀 釈迦は、人生は苦であると教えたが、その苦は煩悩が原因とされており、苦を意味する「四苦八苦」が、4×9＋8×9と発音が一致し、この計算の合計が偶然108になります。

27 なぜ日本人は寺と神社両方行くの？

🔊 1-27

Why do the Japanese go to temples and shrines both?

Why do Japanese pay their respects at both Buddhist temples and Shinto shrines. They are two totally different religions.

The average Japanese doesn't take religion so seriously and is not so strict about following doctrine. That's why they visit both over the course of the New Year holiday. Visiting holy places are just social customs for us, not religious acts.

Would it be accurate to say that this behavior comes from the fact that Japanese are polytheists, who traditionally don't believe in a single God?

I think so. Japanese use different religions for different purposes. For instance, a newly born baby is taken to a Shinto shrine, a wedding ceremony may be at a Christian church, and funeral rites are usually performed according to Buddhism.

- ☐ pay one's respects
  敬意を払う

- ☐ totally different
  全く異なる

- ☐ doctrine 名 教義

- ☐ over the course of
  〜 〜のうちに；最中に

- ☐ polytheist
  名 多神教徒

- ☐ believe in O 〜の存在［正当性］を信じる
  ※ believe in something は have a firm conviction as the goodness of something（何かの善さに対して強い信念がある）という意味。たとえば I believe him. と言えば「彼の言うことを信じる」、I believe in him. といえば「彼の人間性を信じる」ということになる。

- ☐ different …s for different 〜s 〜が異なれば…が異なる

- ☐ funeral rites 葬儀

神社や寺にまつわる "不思議"

日本の "アレ" を英語で言ってみよう！

「パワースポット」
a location full of mystical energy（不思議なエネルギーに満ちた地点）
a sacred place thought to be flowing magical power
（神秘の力を漂わせていると考えられる聖なる場所）
※「パワースポット」は和製英語。本文の holy places もパワースポットを含む。

「心霊スポット」
a location where spirits and ghosts are said to appear often
（幽霊がよく出ると言われている地点）
※ a haunted house は「お化け屋敷」なので、house を place と置き換えた英語、a haunted place は「心霊スポット」の英訳になる。

深掘り！JAPAN！

- 日本人の宗教観については「**宗教的複数性（religious plurality）**」と「**宗教的寛容性（religious tolerance）**」がキーワードとなります。
- **神仏習合（Japanese syncretism）**という考え方が歴史上有名です。その考え方は第1段階から第2段階へと発展しました。

第1段階 お寺と神社が協力し合う段階（Cooperation Stage［協力段階］）
※お寺の中にお寺を守護する神社がある。神社の横に神を仏にする神宮寺がある。

第2段階 伊勢神宮のアマテラスと東大寺の大仏を同一視するような考え等が起こる段階（Identification Stage［同一視段階］）
※第2段階の考え方は、仏教側からは仏主神従の発想で、**本地垂迹説**（＝manifestation theory）と言う。

　　　　薬師如来 ➡ 牛頭天王 ➡ スサノオ
　　　　　本地　➡　垂迹・本地　➡　垂迹

※上記は八坂神社の祭神スサノオの本地は牛頭天王というインドの神である（＝つまり牛頭天王がスサノオの姿で現れた）と発想する。そして牛頭天王の本地は、仏教の如来である薬師如来とされた。

---

p.64 の日本語訳

😊 日本人はどうして、宗教の全く異なるお寺と神社の両方をお参りするの？

😀 平均的な日本人は、宗教に関して真剣にとらえることなく、教義に従うことについてそれほど真剣ではありません。だから初詣にはどちらも参ります。むしろ社会的習慣としての行為で宗教行為というわけではないのです。

😊 神様が唯一神でないと考える多神教ならではの発想と言えるのでしょうか。

😀 そうですね。宗教を使い分けている面がありますね。例えば、赤ちゃんが生まれたら神社へ宮参りし、結婚式はキリスト教式で行う場合もあり、葬式は通例仏教式で行います。

お役立ちコラム②

「アメノウズメ」から「日本人の温泉好き」まで

　日本神話に、「アメノウズメノミコト」という神様が出てきます。天照大御神が岩戸に隠れた時に、肌を露わにして踊ったとされる神様です。岩戸の外の裸踊りの騒々しさに油断した天照を、岩戸から引っ張り出すことに成功する、そんな話が日本神話にあります。

　一般に神様の名前は〈属性＋名前＋神号〉から成っています。先の神は〈アメ＋ウズメ＋ミコト〉と分析できます。属性とは「どこに所属しているか」ということで、高天原（たかまがはら）に所属しているのが明確に分かります。一方、日本神話上一番重要な神とされる「天照大御神」は、分析すると〈名前（天照）＋神号（大御神）〉の2つにわかれます。高天原の神であることは明白だから、属性を名乗らなくてもいいのです。神号も最高の「オオミカミ」です。

　さて、神道では、ケガレがない状態が重要とされます。そして「裸」をマイナスにとらえません。というのは、生まれた姿は神聖なものだからです。赤ん坊は神からの授かりもので、「ケガレがない」と表現するのも、神聖だからです。日本人のお風呂好き・温泉好きは、神道のケガレを嫌う傾向と関係があると言っても過言ではないでしょう。

主な温泉の泉質とプチ説明　[sp = spring]

種類（英語）	説明
単純温泉（simple sp）	無色透明無臭、含有成分が1kg中1gに満たない
塩化物泉（chloride sp）	食塩含有、保温効果抜群、「熱の湯」
炭酸水素塩泉（hydrogen carbonate sp）	アルカリ性、「美肌の湯」「美人の湯」
硫酸塩泉（sulfate sp）	Ca、Na、Mgを含む3種に分類、「傷の湯」
二酸化炭素泉（carbon dioxide sp）	CO_2含有、「泡の湯」「ラムネの湯」
含鉄泉（iron-containing sp）	茶褐色、保温効果良好、鉄分補給によい
硫黄泉（sulfur sp）	ニキビなどに効能、「湯の花」は黄白色の沈殿物
酸性泉（acidic sp）	殺菌力強い、強い刺激、皮膚病の治療などに利用
放射能泉（radioactive sp）	ラジウム泉とも、微量の放射能は人体によい

3章

「和」なアレコレにまつわる "不思議"

ここではさまざまなジャンルの「和」なもの・ことについて、外国人が疑問に思うトピックを21個ピックアップいたしました。桃太郎の"出生の秘密"や、舞妓さんの顔が真っ白である理由など、どんどん英語で言ってみましょう！

テーマいちらん

桃太郎／天狗／忍者／能／歌舞伎／漫才／水墨画／力士／生け花／襖／障子／着物／舞妓／富士山／幽霊／七福神／日本刀／武士道／丁髷／侍／鎖国／天皇

Photo: Licensed under Public Domain via Wikimedia Commons

28 なぜ桃太郎は桃から生まれたの？

🔊 1-28

Why were Momotaro born from a peach?

Why is Momotaro, a hero in Japan's folktale, born from a peach?

The peach is an especially significant fruit. The Chinese character representing the peach contains the character meaning "omen." This part represents the breaking of turtle shells, which was a type of fortune-telling used in ancient China to bring about good future. So, the peach tree has come to be regarded as sacred.

- ☐ folktale 名 民話
- ☐ significant 形 重要な
- ☐ represent 動 〜を表す
- ☐ omen 名 兆し
- ☐ be regarded as 〜 〜とみなされる
- ☐ connotation 名 暗示
- ☐ imply 動 暗示する
- ☐ overpower 動 〜を圧倒する
- ☐ drive away 追い払う

The kanji itself connotes something good, doesn't it?

You are right. The Japanese word for a peach is momo. This word has to do with the number one hundred. The connotation here is that one tree can produce many fruits. This fact implies many children, who are innocent. This means a peach can help overpower evil monsters, or "Oni," in Japanese. That is why Momotaro, who drives away the Oni, is born from a peach.

日本の"アレ"を英語で言ってみよう！

五行説（→P.137）における相生関係と相剋関係

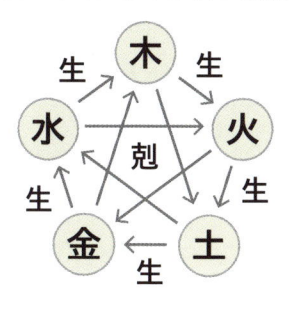

五行	五色	季節	方角
木 wood	青 blue	春 spring	東 east
火 fire	赤 red	夏 summer	南 south
土 earth	黄 yellow	土用 ※	中央 center
金 metal	白 white	秋 fall	西 west
水 water	黒 black	冬 winter	北 north

※ the period between the two seasons

深掘り！JAPAN！

- 桃は中国では**金果**（**golden fruit**）、金は**陰陽五行説**（**Yin-Yang Five-Element Theory**）では西に位置し、西には十二支のサル、トリ、イヌがいる。だから、桃太郎はサル、トリ、イヌという3種の動物を連れているのです。

- 日本の**国鳥**（**national bird**）は**キジ**（**pheasant**）だから、桃太郎が連れている鳥はキジなのです。

- 五行の「金」が桃太郎、「火」は色では赤なので赤鬼を暗示します。すると、金は火によって溶けるので、桃太郎は鬼に負けるのです。

- **念には念を**（**be sure to make sure**）ということで、「土」の色の黄色が**きび団子**（**millet dumpling**）を意味し、土から金が生じるので、土は金を助けます。したがって、きび団子が桃太郎を助けることになるのです。

- 「鶴は千年、亀は万年」というように、長寿のシンボルである亀の甲羅は、それ自体で**縁起がよい物**（**an object of good omen**）とされています。

---

p.68 の日本語訳

😊 日本の民話の主人公である桃太郎は、そもそもどうして桃から生まれたという話になっているの？

😊 桃は特別な果物です。桃を意味する漢字には「兆」が入っています。これは古代中国の亀の甲を割る占いで割られた甲羅の形を表しています。これが良き未来のための占いだったので、桃は聖なる木を表すようになりました。

😊 漢字がプラスイメージというわけですね。

😊 そうです。日本語の「もも」は百（もも）と関係があり、これは1本の木に沢山の実がなることから来ています。実(み)は子供、子供はケガレがない事を暗示し、邪悪な鬼を退治するのに相応しいのが桃というわけです。だから鬼退治をする桃太郎は桃から生まれるわけです。

29 どうして天狗は鼻が長いの？

Why do *Tengu* have long noses?

🎧 1-29

Why do *Tengu* have long noses?

Basically, *Tengu* are supernatural humanoid creatures from Japanese folklore. Legend has it that the mountain ascetics known as *Yamabushi*, after undergoing arduous training outside of the teachings of Buddhism, were transformed into *Tengu*. Japanese view the long nose as a symbol of arrogance; therefore, they came to be depicted as having long noses.

What other features did they have? Do they all have red faces?

One theory says that they are red-faced because they are drunkards. They also have wings and can fly. There are many cases where a *Tengu* plays the role of a guardian deity of a mountain since they have spiritual power.

- a long nose　高い鼻
- supernatural　形 超自然の
- humanoid　形 人間に似た
- Japanese folklore　日本の民間伝承
- Legend has it that ～．伝説では〜ということである。
- ascetic　名 苦行者
- arduous　形 骨の折れる
- transform into ～　〜に姿を変える
- view A as B　AをBと見る
- arrogance　名 傲慢
- depict　動 描く
- One theory says that ～　ある説では〜ということである。
- drunkard　名 大酒飲み
- play the role of ～　〜の役割を果たす
- a guardian deity　守護神

「和」なアレコレにまつわる **"不思議"**

日本の"アレ"を英語で言ってみよう！

「山伏」
a mountain ascetic

「守護神」
a guardian deity

「霊力」
spiritual power

※ ascetic は「苦行者」、
  acetic は「酢酸の」

深掘り！JAPAN！

- 中国における「**天狗**（a long-nosed goblin）」は、凶を知らせる流れ星です。
- 「天狗」という日本語は、鼻の高さのイメージから、偉そうにする人や**自慢する人**（a boaster）の意味で使われます。
- 「**天狗茸**」というキノコは、**a death cup** といいます。一般に毒のあるキノコは **toadstool**（毒キノコ←ヒキガエルの腰かけ）、**食べられる**（edible）キノコは **mushroom** といいます。ちなみに、edible は「**食用になる**」という意味で、eatable は「**食べることができる**」という文字通りの意味です。たとえ edible なものでも、腐っていたら eatable ではありません。
  This foodstuff is usually edible, but is now uneatable because it is in its early stage of growth.（この食材は通用食べられるが、今は食べられない。なぜならまだ成長の初期の段階だから）ということです。
- 仏教では本来天狗は出てきません。「天」という字がついていますが、**梵天**（**Brahma** ＝インドの「創造の神」で仏教の守護神）などとは異なり、天上界に住んでいません。
  ※インドの神で、創造があれば破壊があるわけで、「破壊の神」は、有名なシバ神（Siva）。また、「継続の神」もあり、その名は**ビシュヌ神**（Vishnu）である。
- 日本の書物での初出は、『**日本書紀**（The Chronicles of Japan）』で、637 年に雷のような轟音が東から西へ流れたとき、人々は「**流星**（meteor / shooting star）の音だ」などと言ったのに対し、608 年に小野妹子とともに**隋**（Sui）に渡った遣隋使でもあった**学僧**（learned monk / erudite monk）の旻（ミン）は「天狗の声だ」と主張したという記述です。

---

p.70 の日本語訳

😀 天狗は何故鼻が高いの？
😀 そもそも日本の天狗は、民間伝承における超自然的で人間に似た生物（神または妖怪）です。伝説では仏教とかけ離れた大変な修行をした山伏が天狗に生まれ変わったとされています。傲慢だったから鼻が長くなったと見られており、長い鼻として描かれることになったのです。
😀 天狗の他の特徴は何ですか？ 顔が赤いのも共通しているの？
😀 顔が赤いのは酒豪だからという説があります。また、羽があり、空を飛べるのです。天狗は霊的パワーがあるので、山の守護神の役割をしていることが多いです。

30 忍者は実際にいたの？

Did *Ninja* really exist?

🎧 1-30

Did *Ninja* really exist?

Yes, they were agents skilled in acts of espionage from the Muromachi period through the Warring States period.

I hear they could do superhuman things.

They had certain talents that allowed them to sneak around unnoticed or appear to vanish in an instant and were excellent at martial art and ancient sorcery passed down from China. They knew much about medication and used psychological techniques to deceive others or alter perceptions. Even today there remain a number of schools teaching the *Ninja* arts, among which the Koga school and Iga school are well known.

- agent 名 工作員
- skilled in 〜 〜に熟達している
- espionage 名 スパイ
- superhuman 形 人間業を超える
- X allows O to do 〜 XはOが〜することを可能にする
- unnoticed 形 気づかれない
- vanish 動 消える
  ※紛らわしい単語：banish は「追放する」、varnish は「ニス」
- in an instant 即座に
- martial art 武術
- sorcery 名 魔術；魔法；妖術
- medication 名 投薬；薬物治療
- deceive 動 嘘をつく
- alter perception 錯覚を起こさせる
- even today there remain 〜 現在でも〜が残っている

「和」なアレコレにまつわる "不思議"

日本の "アレ" を英語で言ってみよう！

「戦国時代」
the Warring States period (of Japanese history)
the Age of Civil Wars [=the Age of Provincial Wars]

「武道」
martial arts

深掘り！JAPAN！

- 「忍者八門（eight basic subjects for ninja）」は、忍者になるための8つの基本科目です。

  骨法術（art of bare hands）…素手（bare hands）で敵と戦う術
  気合術（art of fighting spirits）…気合いを利用する術
  剣術（art of swordsmanship）…日本刀などを扱う術
  槍術（art of spearmanship）…槍を扱う術
  手裏剣術（art of small throwing blades）…手裏剣を扱う術
  火術（art of fire）…火や火薬を扱う術
  遊芸（art for amusement）…芸事の術
  教門（art for knowledge and wisdom）…知識と教養の術

- The samurai was cowed by his opponent's show of determination.
  （その侍は敵に気合負けした）

- 忍術の具体例：「五車の術（＝話術）」と「五遁の術（＝逃走術）」

	五車の術		五遁の術
喜車の術	相手をおだてて油断させる	火遁の術	炎や煙を発生させ逃走する
怒車の術	相手を怒らせて不安定にする	水遁の術	水音で相手の注意をそらす
哀車の術	相手の同情を誘う	土遁の術	土や石を相手の顔に投げる
楽車の術	相手を羨ましがらせる	木遁の術	草木・材木を利用し隠れる
恐車の術	相手を怖がらせる	金遁の術	金銭をばらまいて逃走する

p.72 の日本語訳

😊 忍者って本当にいたの？

😊 忍者は昔、室町時代から戦国時代において、主にスパイ的な活動に熟達した人です。

😊 何かすごいことができる人みたいですね。

😊 忍び足で歩いたり、身を素早く消したりする独特の術や、中国伝来の武術・呪術にたけていました。薬にも詳しく、心理術も使い人をだましたり、錯覚を起こさせたりしました。現在でも多くの流派が残っています。甲賀流と伊賀流が有名です。

3章

31 能と歌舞伎ってどう違うの？

🔊 1-31

What is the difference between Noh and Kabuki?

> Tell me about the difference between Noh and Kabuki.

> Noh is "Mai," and Kabuki is "Odori." The English word for both "Mai" and "Odori" is dancing. However, "Mai" is more of a <u>static</u> dance, while "Odori" is a <u>dynamic</u>, energetic dance.

> Not only is Kabuki dance loud and <u>flamboyant</u>, but the actor himself paints his face bright and vivid.

> A vividly painted face is a <u>feature</u> of Kabuki actors. This allows the audience to clearly recognize an actor's <u>facial expressions</u>. On the other hand, a Noh actor wears a mask <u>free of</u> facial expressions. His emotions are <u>intimated</u> only through his <u>extremely</u> <u>subtle</u> movements.

- ☐ static 形 静的な
- ☐ dynamic 形 動的な

- ☐ flamboyant
  形 派手な；飾り立てた

- ☐ feature 名 特徴
- ☐ facial expression
  顔の表情
- ☐ free of ~ ~がない
  [=empty of / bare of]
  ※ free from は「（困ったもの）から免れた」という意味。free from danger なら「危険を免れた」
- ☐ intimate
  動 ほのめかす
- ☐ extremely
  副 極度に
- ☐ subtle 形 微妙な

「和」なアレコレにまつわる "不思議"

日本の"アレ"を英語で言ってみよう！

「能」
Noh play;
traditional Japanese theater
for aristocrats and samurai

「歌舞伎」
Kabuki;
traditional Japanese dance
drama for the common people

「舞」
static dance

「くまどりの」
vividly painted

深掘り！JAPAN！

● 能と歌舞伎

	能	歌舞伎
歴史	千数百年以上も前、アジアの西域から伝播した「散楽」に由来。散楽とは、物まね (mimicry)、寸劇 (short play)、曲芸 (acrobatic feat)、奇術等の総合芸術を指す。平安時代に土着の芸能が融合、南北朝から室町時代にかけて、観阿弥と世阿弥が**能を大成した** (perfect the Noh)。	1603年ごろ、京都の四条河原で出雲阿国が踊った「念仏踊り」に由来。当時の流行歌・奇抜なファッションを取り入れ**大流行した** (gain great popularity)。江戸時代に入り、遊女歌舞伎、若衆歌舞伎 (これらはのちに禁止)、**野郎歌舞伎** (adult men's Kabuki) に発展。
人物と役割	能楽師 (Noh performers) には、シテ方 (main actor)、ワキ方 (supporting actor)、狂言方 (farce performer)、囃子方 (accompanist) の4種がある。	役者 (Kabuki actors) は、市川団十郎、尾上菊五郎、坂東三津五郎などが有名。脚本家 (playwright) でもっとも有名なのは近松門左衛門。

● 歌舞伎は、現在は「歌 (song)」+「舞 (dance)」+「伎 (drama)」の合成語です。近世までは「歌舞妓 (歌と舞を行う女性)」と書かれていました。しかし、もともとは「かぶく (=傾く=常識はずれなことをする)」から派生した言葉です。

---

p.74 の日本語訳

😊 能と歌舞伎の違いを教えてください。
😊 能は舞で、歌舞伎は踊りです。舞も踊りも英語では dancing ですが、舞は静的ダンス、踊りは動的ダンスです。
😊 歌舞伎は動きが大げさなだけでなく、顔の化粧とか激しいですね。
😊 歌舞伎はくまどりが特徴で、顔の表情がはっきりわかりますが、能は面をつけ、顔に表情は殆どなく、人間的感情は極めて微妙な動きで表します。

32 漫才って何？

What's *Manzai*?

🔊 1-32

What's *Manzai*?

Manzai refers to a type of comedic story-telling performed by a pair of stand-up comedians, which developed in the Kansai area of Japan. One comedian performs the role of the "boke," or the funny man, the other being the straight man, or "tsukkomi."

What exactly are "boke" and "tsukkomi"?

The "boke" usually makes a silly remark out of the blue and the "tsukkomi" will draw attention to it and comment on it in order to give contrast to the original remark. This give-and-take method follows a certain rhythm and helps listeners understand and laugh along. This kind of comedic pairing was also seen in the West but isn't as popular nowadays. Instead, Western comedians make people laugh through clever anecdotes, observations, facial expressions, and gestures.

- ☐ comedic 形 喜劇の
- ☐ stand-up comedian 漫談芸人
- ☐ One is ..., the other being 〜. 一方は…で、もう一方は〜である。
- ☐ a silly remark 馬鹿げた言葉や言い方
- ☐ out of the blue 予想されなかった方法で
- ☐ draw attention to 〜 〜に注意を惹かせる
- ☐ give contrast to 〜 〜を際立たせる
- ☐ anecdote 名 逸話
- ☐ observation 名 見解

日本の"アレ"を英語で言ってみよう！

「漫才」
comedic story-telling performed by a pair of stand-up comedians

「ボケ」
a funny man

「ツッコミ」
a straight man

深掘り！JAPAN！

- 「漫才」という言葉は、1933年ごろに吉本興業宣伝部が作ったものですが、元来、「萬歳」という平安時代から始まった芸能が出発点と言われています。「萬歳」とは、二人一組で、家々をめぐり、新年の祝いを述べた後、一方が持つ鼓に合わせて、もう一方が舞うという形式に、徐々に言葉の掛け合いが追加され、滑稽味が増して、現在の漫才に近いものになっていきました。

- ボケとツッコミの役割
  ツッコミ役が話を進行する漫才師＝いとしこいし・中川家・NON STYLE など
  ボケ役が話を進行する漫才師＝大助花子・こだまひびき・ナイツ など
  ボケとツッコミの役割分担が明確でない漫才師＝やすしきよし・阪神巨人 など
  ボケとツッコミが入れ替わる漫才師＝笑い飯・ジャルジャル など
  ツッコミがなくボケと便乗ボケの漫才師＝シャンプーハット・ハライチ など
  ノリツッコミが得意な漫才師＝カウスボタン（ボタン）・雨上がり決死隊（蛍原）など
  ダブルツッコミの漫才師（キレ漫才）＝マシンガンズ

- しゃべくり漫才（楽器や歌唱を用いず会話のみで展開する漫才）の平成的展開
  物まねを入れる漫才師＝中川家
  ケンカ漫才＝ブラックマヨネーズ（吉田のコンプレックスから話が意外な展開）
  妄想漫才＝チュートリアル（徳井の妄想から話が意外な展開）
  コント漫才＝アンタッチャブル・フットボールアワー・サンドウィッチマン・麒麟 など

p.76 の日本語訳

😀 漫才って何ですか。
😀 関西で発達した2人組の話芸です。ボケと突っ込みがあります。
😀 ボケと突っ込みって何ですか。
😀 ボケは普通、予期に反して面白いことを言います。突っ込みはそれに注目し、対照的なコメントでそれをかわします。これがあるため、テンポよく面白い話が分かりやすく展開でき笑いを誘うのです。漫才のようなものは西洋でも見られますが、最近はあまり人気がなく、コメディアンは、逸話と見解と表情としぐさで笑わせます。

33 なぜ水墨画は空白が残ってるの？

Why is there a part left undrawn?

1-33

Is this India ink drawing unfinished? I say this because there are a lot of unpainted areas on the canvas.

The painting is finished. The unpainted areas are intentional. The white shows vivid contrast, giving vitality to what has been drawn and painted.

In Western oil painting, there is usually no part left unpainted, right?

We can give full play to your imagination just because there is some part left undrawn.

- India ink 墨
- unfinished
  形 未完成の
- intentional
  形 故意の
- contrast
  名 対比；コントラスト
- give vitality to ～
  ～を引き立てる
- give full play to ～
  ～を十分働かせる

iStock.com/nikolaj2

「和」なアレコレにまつわる **"不思議"**

日本の"アレ"を英語で言ってみよう！

「水墨画」 India ink drawing	「大和絵」 Japanese classical paintings	「浮世絵」 Japanese woodblock prints

「硯」(すずり) an inkstone	「筆」 a paint brush（絵筆） a writing brush（毛筆）	「墨」 India ink

深掘り！JAPAN！

- 墨（India ink）は黒なので、西洋的には水墨画は色が付いた絵画の painting というより、白黒の絵画である drawing と言えます。

- 墨自体は**白黒**（monochrome）ですが、この白黒でも墨の濃淡により、5つの色が出るとされます。このことを「**墨に五彩あり**（The monochromatic India ink produces five different colors）」と表現します。

- 真っ黒から順に次のように漢字で色を表しています。各漢字の下にその意味の英単語を添えます。

焦 Scorching	濃 Umbrageous	重 Massive	淡 Indistinct	清 Empty

※英単語の頭文字語（acronym）が SUMIE（墨絵）[=India-ink drawing] となる。

このように濃淡で色を表すため、日本文化的には水墨画は painting と言えます。

- 他の芸術との融合性を表すものとして、次の2つの発想があります。

「**書画一致**」：「**無声の詩**」（voiceless poetry）は水墨画であり、「**有声の画**」（voiced painting）は**漢詩**（Chinese poetry）である。

「**庭画一致**」：**枯山水**（dry landscape）の**平面化**（planation）は水墨画であり、水墨画の**立体化**（multi-layerization）は枯山水である。

---

p.78 の日本語訳

😊 この絵（水墨画）は未完成？　何も描かれていないところが一杯あるから。
😊 これで完成品ですよ。この余白に意味があります。この無なる余白に描かれたものを引き立て生かす役割があるのです。
😊 西洋の油絵では塗らない部分は絶対にないですね。
😊 何も描かれていない部分があるからこそ、想像力をかきたてますよ。

34 石と砂は何を象徴しているの？

What is symbolized by rocks and sand?

🎧 1-34

It's a strange garden, isn't it? There are no flowers or ponds.

This garden is called "Karesansui," and represents the type of garden found at Zen temples. This type of garden is "intended for meditation," in contrast to the gardens "intended for play" of the Heian period.

The main feature of the Zen style garden is rocks and sand, isn't it? Do they signify anything?

It is said that stone represents mountains while sand represents sea. The garden requires people who view it to be thoughtful and use their imagination to consider the symbolism. The garden is said to three-dimensionally represent a monochrome ink painting.

- **represent** 動 の代表例である
- **intended for 〜** 〜向きの
- **meditation** 名 瞑想
- **in contrast to 〜** 〜と対照的で
- **signify** 動 意味する
- **require** 動 〜を必要とする
- **thoughtful** 形 心のこもった；考え込んでいる
- **symbolism** 名 象徴的意味
- **three-dimensionally represent 〜** 〜を3次元的に表現する
- 例 An India ink painting two-dimensionally represents a rock garden.（水墨画は石庭を2次元的に表現したものである）
- **monochrome** 形 白黒の

「和」なアレコレにまつわる "不思議"

日本の"アレ"を英語で言ってみよう！

庭園の分類

A：表現内容によるもの

「浄土式庭園」
garden of Pure Land

「蓬莱式庭園」
garden of Land of Perpetual Youth

「縮景式庭園」
nature-modeling garden

B：表現方法によるもの

「枯山水庭園」
dry landscape garden

「池泉庭園」
pond and plant garden

「築山庭園」
garden with an artificial hill

C：鑑賞方法によるもの

「観賞式庭園」
garden to view

「舟遊式庭園」
garden for boating

「回遊式庭園」
garden to walk in

「露地」
garden to walk through [=garden next to a tea hut]

深掘り！JAPAN！

- 昔の日本語で「にわ」と「その」がある。

	にわ（庭）	その（園）
目的	儀式などを執り行う空間	生物を育てる空間
英語では	court	garden
現代の例	宮廷：政治を行う 法廷：裁判を行う 校庭：生徒が遊ぶ テニスコート：テニスをする	菜園：野菜を育てる 動物園：動物を育てる 植物園：植物を育てる 幼稚園：幼児を育てる

- 庭と園が合わさった「庭園」は芸術的に発展した庭

  遊びの庭＝平安時代の貴族の庭

  悟りの庭＝鎌倉時代以降の禅寺の庭

- 庭園は大きく3つに分類されることがある。

  庭園＝枯山水／築山庭／茶庭

p.80 の日本語訳

😊不思議な庭ですね。花もなければ池もない。

😊この庭は枯山水と言います。これは禅宗寺院の庭で代表的なもので、平安時代の「遊ぶ庭」とは異なり、「瞑想のための庭」とされています。

😊禅の庭の主な特徴は石と砂なんですね。この石や砂は何かを表しているのですか？

😊石は山、砂は海を表していると言われます。見る人が沈思し、何を象徴しているか、想像力をたくましくしなければなりません。水墨画の立体表現とも言われます。

35 力士はどうして塩をまくの？

🔊 1-35

How come Sumo wrestlers sprinkle salt?

How come Sumo wrestlers sprinkle salt before a bout?

Salt has purification properties and is believed to be capable of driving away evil spirits or bad luck. They throw it to rid the dohyo, or ring, of evil spirits so they won't get hurt. In fact, salt can be used as a disinfectant in everyday life.

Now I understand why every Sumo wrestler throws salt. How much salt is used each day of the tournament?

About 45kg a day. More than 650kg of salt is prepared for one tournament, which lasts 15 days.

- ☐ sprinkle 動 ばらまく
- ☐ bout 名 試合
- ☐ purification property
  清めの性質
- ☐ capable of Ving 〜
  〜することができる
- ☐ rid A of B
  AからBを除く
- ☐ disinfectant
  名 殺菌剤；消毒剤
- ☐ Now I understand why SV.
  SがVする理由が今分かりました。

「和」なアレコレにまつわる **"不思議"**

日本の"アレ"を英語で言ってみよう！

「相撲」	「関取」	「横綱」
Japanese wrestling	a Sumo wrestler	a Sumo wrestler of the highest rank; a grand champion

※複数の横綱がありうるので、the grand champion としない。

「大関」	「関脇」
a Sumo wrestler of the second highest rank; a champion	a Sumo wrestler of the third highest rank

「小結」	「前頭」
a Sumo wrestler of the fourth highest rank	a Sumo wrestler of the lowest rank in the highest division [=a Sumo wrestler in the senior-grade division who ranks below Komusubi]

深掘り！JAPAN！

- 相撲取りは塩をまきますが、塩をまけるのは十両（**junior-grade sumo wrestler**）以上です。相撲のレベルは下から、序の口 ➡ 序二段 ➡ 三段目 ➡ 幕下 ➡ 十両 ➡ 幕内と上がります。

  ①序の口　(a Sumo wrestler in) **the lowest division**
  ②序二段　(a Sumo wrestler in) **the second lowest division**
  ③三段目　(a Sumo wrestler in) **the third lowest division**
  ④幕下　　(a Sumo wrestler in) **the fourth lowest division**
  ⑤十両　　(a Sumo wrestler in) **the second highest division**
  ⑥幕内　　(a Sumo wrestler in) **the highest division**

- 幕内では、下から「前頭」「小結」「関脇」「大関」「横綱」となります。

- **突く**（**thrust**）、**殴る**（**beat**）、**蹴る**（**kick**）の三手の禁じ手や四十八手、作法礼法等が、神亀3年（726年）に制定されました。

---

p.82 の日本語訳

😊 相撲取りはどうして試合の前に塩をまくの？

😊 塩には清めの力があり邪気や不運を払うことができるとされ、これで土俵の邪気をはらい、相撲取りが怪我をしないするためです。実際に、塩は日常で殺菌効果を利用されたりしています。

😊 じゃあ、全ての関取が塩をまくのですね。1日どれぐらいの塩が使われるの？

😊 一日約45kg。ひと場所15日で650kg以上用意するとのことです。

36 花器が花で満たされてないのはなぜ？

🔊 1-36

Why isn't the vase completely filled with flowers?

- Why isn't the vase completely filled with flowers when doing "ikebana," or the flower arranging?

- There are some basic rules one must follow when engaged in the art of flower arrangement. Everything except branches, which symbolize sky, land, and people, is unnecessary. The empty space is intentional and carries some significance.

- What is so significant about the empty space?

- Space helps the flowers stand out three-dimensionally and allows the leaves to distinguish themselves two-dimensionally. This applies to the branches too. The empty space highlights the branches one-dimensionally. In this way, the arrangement of flowers, leaves and branches symbolizes the universe.

☐ filled with 〜
　〜でいっぱいにする
☐ do the flower arranging
　生け花をする
☐ engaged in 〜
　〜に従事する
☐ except
　前 〜を除いて
☐ intentional
　形 意図的
☐ X carries some significance
　Xには何らかの意味がある
☐ significant
　形 重要な
☐ stand out　引き立つ
☐ X-dimensionally
　X次元的に
☐ distinguish
　動 〜を目立たせる
☐ apply to 〜
　〜に当てはまる
☐ X highlights Y
　XがYを際立たせる

「和」なアレコレにまつわる "不思議"

日本の "アレ" を英語で言ってみよう！

「生け花」
flower arrangement

「盛り花の」
filled with flowers

※浅い入れ物に盛ったように生ける手法が「盛り花」

深掘り！JAPAN！

- 生け花 (ikebana = Japanese-style flower arrangement) において、花は**3次元 (three-dimensional)**、葉は**2次元 (two-dimensional)**、枝は**1次元 (one-dimensional)** なので、すべての宇宙を表していると言えます。

- 生け花は、花器の小さな空間 (**small space**) に、大きな宇宙 (**vast space**) を表す芸術であるとも言えます。

- 生け花の歴史には、宗教的な2側面があります。

  神道的 常盤木 (**evergreens**) が依代 (**a place where gods descend**)
  ※依代とは、神様が降りてくる神聖な場所をさす。

  仏教的 仏前に供える供花 (**the offering of flowers to Buddha**)

- 生け花にはまた、役割面から2つの流れがあります。
  ①座敷飾りの花の成立と発展…池坊専応による池坊

  いけばな理論の確立　　　　➡　**立花**の大成
  the flower-arranging theory　　nature-creating ikebana（自然を表現する）
  〈室町後期〉　　　　　　　　　〈江戸時代前期〉

  ②茶の湯を基盤とする華道の成立

  投げ入れ花　　　　　　　　➡　**生花**
  the throwing style of ikebana　new life-breathing ikebana（生を吹き込む）
  [自由な形式 (＝自然な投げ入れ) を重視]　　[天地人の三才格の重視]
  〈安土桃山時代〉　　　　　　　〈江戸時代後期〉

- 近代生け花の成立
  〈明治中期〉小原流…**盛り花**（**flowers arranged in a shallow container**）
  〈昭和初期〉草月流…**造形芸術**（**flower-arranging as a molding art**）

---

p.84 の日本語訳

😊 どうして（日本の）生け花では花を一杯に盛り付けないの？

😊 生け花には守らなければならない原則があります。天地人を表す枝を残し、あとは全て不要となります。何もない空間ができますが、これにも意味をもたせます。

😊 何もない空間に意味があるってどういうこと？

😊 空間があると、3次元の花は映えます。2次元の葉もくっきり目立ちます。(1次元の) 枝にも同じことが言えるのです。1次元的な枝も目立ちます。3つの次元の花、葉、枝を組み合わせて宇宙を表すのです。

37 襖と障子の違いは？

🔊 1-37

What is the difference between *fusuma* and *shoji*?

The Japanese house has both *fusuma* and *shoji*, doesn't it? What's the difference?

Fusuma are sliding doors that function as room dividers for Japanese style rooms. You can increase the number of Japanese rooms by setting *fusuma* up to partition areas off. Thick paper is used for *fusuma*, sometimes with paintings on them, so they work as interior décor as well. They are also used as closet doors.

I see. Do *shoji* have different roles from *fusuma*?

Yes, *shoji* are doors made up of paper sheets that are designed to let natural light into a house while allowing the residents to have their privacy. The Japanese paper used for them is thin, letting soft light in. For this reason they are traditionally placed between the outdoor hallway facing the garden, or the engawa, and the Japanese rooms inside.

- ☐ function as 〜
  〜として機能する（役立つ）
- ☐ room divider
  間仕切り
- ☐ partition 〜 off
  〜を仕切る
- ☐ interior décor
  室内装飾
- ☐ resident 名 居住者
- ☐ outdoor hallway
  縁側

日本の"アレ"を英語で言ってみよう❗

「玄関」
the front door; the front entrance; the porch

「床の間」
an alcove; a special space of the living room where art objects are displayed

※「玄関から入る」は enter by the front door

深掘り❗JAPAN❗

- 日本の家屋は**柱中心**（column-oriented）で、柱と柱の間を埋める障子やふすまが重要な役割を果たします。西洋の家屋は**壁中心**（wall-oriented）で、初めから部屋は**仕切られて**（partition off）います。

- 「窓」と window は、**語源を調べる**（etymologize）と役割が違うことが分かります。窓は「間戸」で、そもそも空間を仕切る戸でした。window は初めから仕切られた壁に wind を通すために作られた穴でした。

- 日本文化は「間」の文化
  ① 庭と家屋の間に「**間**（space）」があり、それを縁側と呼びます。
  ② 話と話の間に「**間**（pause）」があり、落語家はこれを活用します。
     ※間がないと**間抜け**（foolish; dull-witted; boneheaded）だし、間が長いと**間延び**（slow way of speaking; flat performances）するので、ちょうどいい間が重要となる
  ③ 人と人との間の「**間**（relations）」も重要なのは、言うまでもありません。
     ※西洋では「間」ではなく、人そのもの（＝個）が大切という発想の個人主義（individualism）が発達している
     ※**個人主義**（individualism）と**利己主義**（selfishness）は違います。個人主義は「自分は主張するが、相手の意見も聞く」主義（ism）ですが、利己主義は「自分は主張するが、相手の意見は聞かない」性格（ness）です

- 上記の①は「空間」の、②は「時間」の、③は「人間」の「間」で、この3つは「世間」の構成要素です。これらの漢語には全て「間」が入っています。

---

p.86 の日本語訳

😊 日本の家屋にふすまと障子がありますね。どう違うのですか。

😀 ふすまは和室の間仕切りとして使われます。だから、ふすまで仕切ることによって部屋の数が増やせます。ふすまに用いる紙は厚く、ふすま絵が描かれることもあり、室内装飾の役目もあります。また押入れの扉としても使われます。

😊 なるほど。障子はふすまとは役割が異なるのですか。

😀 そうです。障子は室内を外部から目隠しする役割と採光の目的を持つ紙でできています。使用される和紙は薄く、ほんのりと光を取り入れることができます。したがって、伝統的には縁側のある廊下と和室の間におかれます。

38 なぜ毎日着物を着ないの？

🔊 1-38

Why don't Japanese wear kimono every day?

> Why don't Japanese wear ethnic attire such as kimono every day?

> It's because Japan is influenced by western culture. We usually wear western style clothes, though we do wear kimono on special days since it's our tradition. Some of the days we wear our traditional clothes include such turning points as Coming-of-Age Day and school commencement, or graduation ceremonies.

> Are there any occupations that require you to wear a kimono?

> Teachers of traditional Japanese crafts such as flower arrangement and the tea ceremony as well as female managers of Japanese inns wear kimono on a daily basis. However, only a small percentage of the whole population usually wear kimono.

☐ **ethnic attire** 民族衣装

☐ **turning point** 節目

☐ **Coming-of-Age Day** 成人の日

☐ **commencement** 名（大学の）卒業式

☐ **female managers of Japanese inn** 旅館の女将（おかみ）

☐ **on a daily basis** 日常的に

※ on a ～ basis は「～的に；～の方式で」という意味で、on a first-come first-served basis は「早く来ると早く対応される方式で→早いもの順に」という意味になる。

「和」なアレコレにまつわる **"不思議"**

日本の"アレ"を英語で言ってみよう！

「華道」	「茶道」
(the art of) flower arrangement	the tea ceremony; the way of tea; tea cult

※芸術としての茶道は the をつけて the tea ceremony とするが、お茶会は数えて a tea ceremony とする。

深掘り！JAPAN！

● 着物には、次のような利点と欠点があるとされています。

着物の利点	着物の欠点
社交の場では華やぐ ＝add to the gaiety of the party	着るのに時間がかかる ＝take time to wear it
丁寧な対応をしてもらえる ＝expect polite treatment	歩く速度が遅くなる ＝have to walk slowly
自分で着れると一目置かれる ＝be respected if you wear it yourself	乗り物の運転がしにくい ＝have difficulty driving a car
帯で骨盤が安定する ＝stabilize the pelvis by the sash	手入れに時間がかかる ＝take time to care and maintain
独特の色や模様を楽しめる ＝enjoy unique colors and patterns	小物も多く費用がかかる ＝cost a lot to get accessories
体型が変わっても着れる ＝body shape-free ＝can wear it even if you grow	冬は首・手首・足が寒い ＝feel cold around the neck, the wrists, and feet in winter
流行はないので何年も着れる ＝vogue-free / wear for long	少ないのでじろじろ見られる ＝be stared at it because it's outstanding
母娘・姉妹で貸し借りできる ＝possible to lend and borrow it between the mother and her daughter, and between sisters	着物を着ている理由を聞かれる ＝be asked why you wear it

p.88 の日本語訳

😊 日本人はなぜ、民族衣装である着物を毎日着ないの？
😊 日本が西洋文化の影響を受けているからです。日常的には洋服を着ます。また着物が民族衣装だからこそ、特別な日に着るのです。その特別な日とは、成人式や卒業式などといった人生の節目の日です。
😊 着物を着るような職業もあるのですか。
😊 華道や茶道など日本の伝統文化を教えるような先生や、旅館の女将なども日常的に着ますね。でも日本人全体では、普通に着物を着る人は、やはり少ないです。

39 どうして舞妓の顔は真っ白なの？

🔴 1-39

Why do *Maiko* wear white make-up?

What is a *Maiko*?

A *Maiko* is a woman who serves as an apprentice of a *geisha* whose main job is to liven up a party by singing, performing a Japanese dance, or playing the *samisen*.

Why does she put white powder on her face? It looks kind of unhealthy to put on so much. Also, just how old are they anyway?

The custom of wearing white powdered make-up was originally intended to help make the face look beautiful under the candle light of parties held in *tatami* rooms. The powder doesn't pose any health hazards these days. As for the age, in the past a girl was able to become a *Maiko* at around 9 years old, but now candidates have to first graduate from junior high school due to compulsory education.

- ☐ serve as 〜
  〜として務める
- ☐ an apprentice
  見習い
- ☐ liven up a party
  場を盛り上げる
- ☐ kind of
  何となく；ある種
- ☐ not pose any health hazards
  健康の害は全くない
- ☐ candidate
  名 候補者
- ☐ graduate from 〜
  〜を卒業する
- ☐ compulsory education
  義務教育

日本の"アレ"を英語で言ってみよう！

「日本舞踊」
a Japanese dance

「三味線を弾く」
play the samisen

「おしろい」
white powder

深掘り！JAPAN！

- 舞妓のトリビアをいくつか挙げておきます。舞妓は髷を結うのに時間がかかるため、一週間お風呂に入れません。またはスタバやマクドに入れない…など、制限が多いです。その反面、職業として舞妓をやっているときは、未成年でも、飲酒が認められるのです。

- 「舞妓は何歳まで？」という質問に対しては、A girl will remain a Maiko until around 20 years of age.（20歳ぐらいまでが舞妓の年齢です）などと答えるといいでしょう。

CHECK powder the face と face the powder

英語に次のような洒落（wordplay）があります。

What is the difference between a woman and a soldier?
—The former powders the face and the latter faces the powder.
（女性と軍人の違いは何ですか？——前者は顔におしろいを塗る（powder the face）、後者は火薬に接する（face the powder）の違いです）

p.90 の日本語訳

😊 舞妓って何ですか？
😊 唄や踊り、三味線などの芸で宴席を盛り上げる仕事をする芸妓の見習い段階の女性です。
😊 なぜおしろいをしているの？　そんなに塗ったら健康に悪そう。何歳ぐらいなの？
😊 お座敷の宴席の蝋燭（ろうそく）の灯のもとでも美しく見えるように白塗りにしたのが起源です。おしろいは、現在は健康を害するものではないです。年令に関しては、昔は9歳ぐらいから舞妓になれましたが、今は義務教育があるので、中学を卒業するのが条件です。

40 富士山に登るのって簡単なの？

🔊 1-40

Is it easy to climb Mr. Fuji?

- Is it easy to climb Mt. Fuji?

- In summer, even a beginner can climb it. The 3,776 meter-high Mt. Fuji has a summit that is typically 22C° lower than at the base. It would not be wise to climb it in the winter, since it's very cold and windy, much like the Himalayas.

- Doesn't the high altitude contribute to any health problems when climbing?

- It's possible, sure. It may be best to take your time climbing and rest as often as possible at the rest areas located at regular intervals. Ear plugs may be helpful to block out the noise of snorers when trying to catch some shuteye in the cabins on the slope. More than 300,000 people climb the mountain annually, so expect it to be crowded.

- □ summit 名 山頂
- □ base 名 ふもと
- □ the Himalayas ヒマラヤ山脈
- □ altitude 名 高度
- □ contribute to 〜 〜を助長する；引き起こす
  ※マイナスイメージのことが to 以下にくる場合もある。
- □ ear plug 耳栓
- □ snorer 名 いびきのうるさい人
- □ catch some shuteye 口語 少し眠る（=get some shuteye]
- □ cabin on the slope 山小屋

「和」なアレコレにまつわる **"不思議"**

日本の"アレ"を英語で言ってみよう！

「一富士二鷹三茄子」
First, Mt. Fuji; second, hawks; third, eggplants.

「一友二酒三肴」
First, friends; second, sake; third, tidbit

※ tidbit はアメリカでよく用いられる「お酒に合うちょっとうまいもの」

深掘り！JAPAN！

- 富士山は信仰の山。3360ｍから上は**私有地**（private land）で浅間神社のものなのです。富士山本宮浅間神社は、全国1300社ある浅間神社の**総本宮**（the head shrine）です。

- 富士山にはじめて登った女性はちょんまげをしていました。**女人禁制**（closed to women）だったから、**男装**（disguise oneself as a man）したのです。江戸時代天保3年9月26日のこと。高山たつという女性でした。実に**たくましい**（powerful and strong-minded）。名前もたくましい！

- 一富士二鷹三茄子の続きを知っていますか？　それは、「四扇五煙草六座頭」となります。これらは、初夢として縁起が良いものの順であるとされています。その理由をまとめておきましょう。ほとんど語呂合わせですね。

めでたいもの	その理由
富士（Mt. Fuji）	末広がり、不二（2つとない）
鷹（hawk）	鷹が高と同じ発音、運気が高く舞い上がる
茄子（eggplant）	「成す」に通じる、実（身）に毛が（怪我）ない
扇（folding fan）	扇子は末広がり
煙草（cigarette）	煙草の煙は上へ上がってゆく
座頭（masseur）	座頭（按摩さん）は頭は坊主で、毛が（怪我）ない

- 一友二酒三肴の続きは、「四女五座敷六器」となります。こちらは酒の席に必要なもの（ひと）を表した表現です。**男性中心的な面**（male chauvinism）が現れていますね。

---

p.92 の日本語訳

😊 富士山に登るのは簡単ですか？

😊 夏であれば初心者でも登れます。高さは3776ｍなので、ふもとより22度温度が下がります。気温が低いのと風が強いので冬の登山は避けてください。冬の登山はヒマラヤ並みです。

😊 登山時には高山病に注意した方がよいですね。

😊 その可能性は確かにあります。ゆっくり登って等間隔にある休憩所でしっかり休息をとること。耳栓を持って行くといいでしょう。山小屋でちょっと仮眠をとるときなど、いびきのうるさい人対策として役立ちます。年間30万人以上訪れるから、人は多いですよ。

3章

41 なぜ日本の幽霊は白い三角巾をつけてるの？

Why ghosts wear a white triangular cloth?

1-41

Why do Japanese ghosts wear a white triangular cloth on their head?

That cloth is a kind of shroud called a "tenkan." I have heard a few theories about why ghosts are depicted wearing it. It's considered formal attire a ghost must wear when addressing Enma, a powerful spirit that passes judgment on the deceased in the afterlife. Making a good impression could be the difference between an eternity in heaven or one in hell.

- shroud 名 白布；死装束
- depict 動 描く
- formal attire 正式な衣装
- address ～ 動 ～に謁見する
- pass judgment on ～ ～に判決を下す
- the deceased 死者（=the dead）
- the afterlife 死後の世界
- the living 生きている者
- the next life 来世

There's a meaning behind everything, I suppose.

It may also symbolize an elegant headdress that shows the living respected the deceased and intended the deceased to be sent off to the next life dressed as nicely as possible. There's another theory that a person, after he or she dies, turns into a snake and that the triangle represents the snake's head.

「和」なアレコレにまつわる **"不思議"**

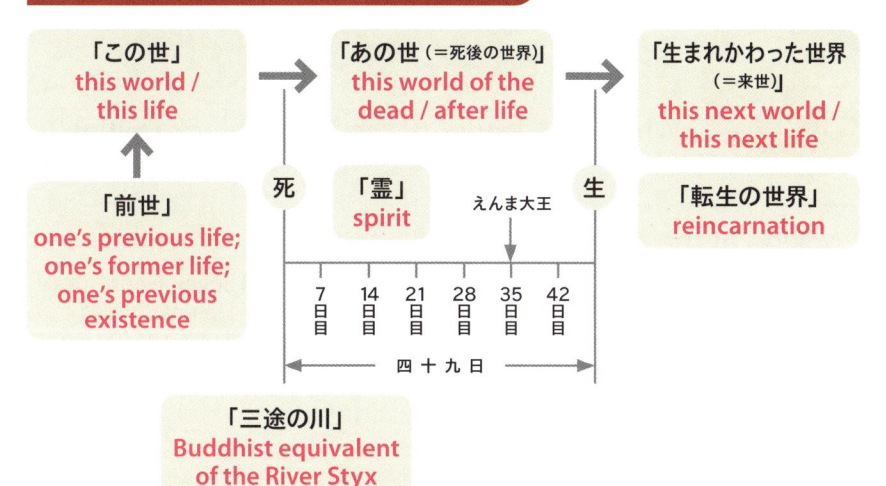

日本の"アレ"を英語で言ってみよう！

「この世」
this world / this life

→ 「あの世（＝死後の世界）」
this world of the dead / after life

→ 「生まれかわった世界」（＝来世）
this next world / this next life

「前世」
one's previous life; one's former life; one's previous existence

「霊」
spirit

えんま大王

「転生の世界」
reincarnation

死　生

7日目　14日目　21日目　28日目　35日目　42日目

四十九日

「三途の川」
Buddhist equivalent of the River Styx

深掘り！JAPAN！

- 天冠については、これをまとっていると、**地獄のたたり**（an evil consequence; divine punishment）から逃れられるとかなどの意味もあるようです。
- 日本人は統計によると、「神の存在を信じる」「神の存在を信じない」「どちらかわからない」が3分1ずつであると言われています。世界では、どちらかわからないは少ない傾向にあり、信じるか信じないかのどちらかになります。
- **イスラム教国**（Islamic nations）では、ほとんどが神の存在を信じています。アメリカ人もほぼ9割は信じています。フランスは合理的な思想を重視する国で、**キリスト教国**（Christian nations）ですが、信じているという割合は低いほうです。

※ Islamic State というと、過激派組織（extremist organization）の「イスラム国」のこと。

---

p.94 の日本語訳

😊日本のお化けはどうして白い三角の布を頭に付けているの？
😊あれは「天冠（てんかん）」と言って死装束の1つです。何故、幽霊がこんなものをつけて描かれるのかというと諸説あるみたいです。これが正装なので、死後の行き先を決める閻魔さんに会う時に失礼にならないとか。いい印象を与えると、一生天国か地獄かどちらかに決まるほどの差を生むとか。
😊何でも意味があるのですね。
😊これが高貴な冠の象徴とも言え、死者を最高の衣装で来世に送ってあげたいという気持ちの表れとか、死者は蛇に戻るので、蛇の頭を象徴しているという説なんかもありますよ。

42 七福神って、誰がリーダーなの？ 🔊1-42

Who is the leader of the 7 Good-luck Deities?

Looking at the drawing of the Seven Good-luck Deities, or "Shichifukujin," shown riding on a treasure boat, I've come to wonder who the captain is.

Japanese seldom ask questions like that. A more normal question would be who is Ebisu or who is Daikoku.

We Westerners have a propensity for ranking things. Who is at the top, if you don't mind my asking? Also, when considering this group of gods, who is at the bottom of the pantheon?

The seven lucky gods were a result of consolidating all the separately worshipped deities towards the end of the Muromachi period. There was no concept of there being a leader among them. You could say any one of them could be the captain.

- Seven Good-luck Deities　七福神
- treasure boat　宝船
- have a propensity for Ving
  Vする傾向がある
- pantheon
  名 全ての神
- consolidate
  動 まとめる
- no concept of there being ～
  ～が存在するという概念はない
- any one of Xs
  Xのどれも

96

「和」なアレコレにまつわる **"不思議"**

日本の"アレ"を英語で言ってみよう！

「七福神」
the Seven Good-luck Deities
the Seven Deities of Good Fortune

「三面大黒天」
three-headed Daikoku-ten

※三面大黒天は、七福神の中の大黒天に毘沙門天、弁財天が合体したもの。

深掘り！JAPAN！

● 七福神に関する基本情報です。

恵比寿	唯一の日本の神。
弁財天	唯一の女性の神。
布袋和尚	唯一の人間（禅僧だから、神格化された人間）。
大黒天	インドの神。**大国主命と同一視**（identified as Ohkuninushi）。
毘沙門天	インドの神。多聞天（＝四天王のうち北を守る神）と同一。
寿老人	**道教**（Taoism）の神、南極星の化身で南極老人。**長頭**（long-headed）が特徴。
福禄寿	道教の宋の道士（＝Taoist＝道教の教義に従った活動をする人）または寿老人と同一。道教が求める3つの徳である「福（幸福）」、「禄（財産）」、「寿（健康で長寿）」を具現化したもの。

※「神格化する」は deify、「人格化する」は personify。In Shintoism, those enshrined in the shrine vary from deified persons to personified deities.（神道では、神社に祭られているのは、神格化された人々から人格化された神々まで色々ある）。vary from A to B は「AからBまで色々ある」の意味。

✋CHECK 十三仏

十王信仰（→ P.148）に、更に次の三仏を加えたものです。

死後どれくらいの時期	仏像の名前
七回忌	阿閦如来（あしゅくにょらい）
十三回忌	大日如来（だいにちにょらい）
三十三回忌	虚空蔵菩薩（こくうぞうぼさつ）

※X回忌は、英語で (X − 1)th anniversary of a death。例えば、七回忌は the sixth anniversary of a death となります。

p.96の日本語訳

😊 この宝船に乗っている七福神の絵を見て思うのですが、誰が船長ですか。
😊 日本人はあまりそのような疑問を抱かないですよ。日本人はどれが恵比寿で、どれが大黒天かな？と聞くぐらいでしょうか。
😊 我々西洋人は、ランキングをつける傾向がありますね。誰が一番偉いのか？　よかったら教えて下さい。複数の神様がいるなら、一番下のランクの神はどれかとかも。
😊 七福神は、室町時代末期、別々に信仰されていた神を一つにまとめて信仰する動きの結果生まれたもので、誰が一番という発想はありません。強いて言うならみんなで船長をしています。

43 日本刀はピストルに勝てるの？
Can a samurai sword defeat a firearm?

🎧 1-43

- Is it possible for a samurai sword to defeat a firearm?

- I saw on TV a bullet being fired at a Japanese sword. The bullet broke in half while the sword came out undamaged. One could say that Japanese swords are the pride of sword smiths.

- When did they start to make Japanese swords?

- A group of sword smiths lived in Mogusa Shrine in Ichinoseki City, Iwate Prefecture, from the tumulus period. The swords that were manufactured there were reminiscent of the Japanese swords seen nowadays. However, mass production of the typical swords a samurai wore actually began in the late Heian period, when the warrior class came to power.

- □ break in half
  真っ二つに割れる
- □ undamaged
  形 無傷の
- □ sword smiths
  鍛冶職人

- □ tumulus　名 古墳

- □ reminiscent of ～
  ～を思い出させる
- □ mass production
  大量生産

- □ come to power
  台頭する

「和」なアレコレにまつわる "不思議"

日本の "アレ" を英語で言ってみよう！

「円墳」
a round burial mound

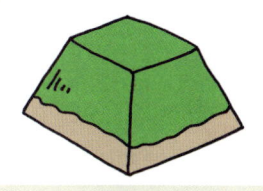

「方墳」
a flat-topped burial mound

「前方後円墳」
a keyhole-shaped tumulus

「前方後方墳」
a doubly rectangular tumulus

深掘り！JAPAN！

- 日本刀は古墳時代以前から製造されてきましたが、通常、平安時代末期に出てきたもので、反り (curve) があり、**片刃** (**single-edged**) のものを言います。
- 寸法により、次の3つに分類されます。
  ①**太刀**：2尺 (60cm) 以上のもの　a long sword
  ②**脇差**：1尺 (30cm) 〜2尺 (60cm)　a middle-sized "side inserted" sword
  ③**短刀**：1尺 (30cm) 以下のもの　a short sword
- 国内で日本刀を持っていても、**登録証** (registration card) を持っていれば、**銃刀法** (Swords and Firearms Control Law) 違反になりませんが、もちろん、街中で**振り回す** (swing about; fling around; **brandish**) のは違反です。

---

p.98 の日本語訳

😀 日本刀は西洋の銃よりも強いってことがありうるの？
😀 あるテレビ番組で、鉄砲の弾を日本刀に向けて発射したところ、弾が真っ二つに割れたが、日本刀は全く無傷だったのを見たことがあります。日本刀は刀鍛冶職人の誇りと言えますね。

😀 日本刀はいつごろ作られ始めたの？
😀 岩手県一関市にあるもぐさ神社は、古墳時代より刀鍛冶の集団が住んでおり、ここで作られた刀が、現在の日本刀の源流のように思えます。現実には、実際に武士が身につけた典型的な日本刀の大量生産は、武士勢力が強くなった平安後期に起こってきました。

44 天皇と将軍って何が違うの？

🔵 1-44

What is the difference between shoguns and emperors?

What is the difference between shoguns and emperors in Japan?

An emperor, as a monarch, is technically the supreme leader of Japan. A shogun was like a military dictator ruling over the samurai government but he was appointed by the emperor. In that respect, emperors are higher in rank.

Does a shogun not try to assume the reins of government by bringing down the emperor?

A shogun needs an emperor, since only an emperor can authorize someone to be shogun. The emperor of Japan is now more similar to a king in Europe as opposed to a traditional European emperor, who may be defined as king of kings.

- ☐ monarch 名 君主
- ☐ technically 副 正確に解釈して
- ☐ supreme leader 最高指導者
- ☐ military dictator 軍事独裁者
- ☐ rule over 支配する
- ☐ appoint 動 任命する
- ☐ in that respect その点で
- ☐ assume the reins of government 政権を握る
- ☐ bring down ~ ~を倒す
- ☐ authorize 動 権威づける
- ☐ similar to ~ ~に似ている
- ☐ define 動 ~を定義する

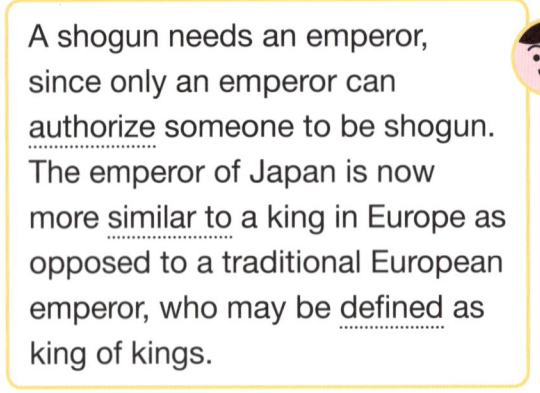

「和」なアレコレにまつわる "不思議"

日本の"アレ"を英語で言ってみよう！

「天皇」	「天皇家」	「将軍」
Emperor	the Imperial Family	Shogun

「朝廷」	「幕府」
the Imperial Court	the shogunate

例 大和朝廷　the Yamato Imperial Court　　例 徳川幕府　the Tokugawa shogunate

深掘り！JAPAN！

- 貴族（藤原氏）が天皇に代わって**政権を取った**（take power / come to power）が、天皇を倒さなかったのは、藤原氏の先祖が天皇につかえており、先祖を敬うがため、天皇を**倒す**（overthrow）ことは先祖に失礼なので、おそらくそんなこと考えつきもしなかったと思われます。
- この事例からも、日本は**先祖崇拝**（ancestral worship）の国であると言えます。
- 「王の王」である Emperor の命名は、ある意味正しかったと言えます。このことを説明すると次のようになります。

It made sense for Japan to have an emperor originally because Japan was made up of domains that considered themselves countries in their own right. After the unification of Japan, the shogun controlled the government in practice.

（日本が元来 emperor（＝ king of kings）をもつことはいわれのないことではなかった。というのは、日本は、それ自体国としてみなすことができる藩から成り立っていたからである。全国統一後、（天皇ではなく）将軍が実質上政府を運営した）

☐ make sense　意味をなす　　☐ domains　藩
☐ the unification of Japan　全国統一　　☐ in practice　実質的に

---

p.100 の日本語訳

😀 将軍と天皇はどう違うの？

😊 君主としての天皇は正確に解釈すれば日本の最高指導者です。将軍は武士の政権のトップですが、天皇から任命されたんですよ。その意味では天皇の方がランクが上です。

😀 将軍は、天皇を倒して政権を握ろうとしないの？

😊 将軍は天皇によってのみ権威づけられているので、天皇を必要とします。日本の天皇は、伝統的なヨーロッパの皇帝とは違い、現在は、ヨーロッパの王様に近いんですよ。皇帝は、各国の王を支配する、いわば「王の王」だから。

45 武士道と騎士道はどう違うの？

How is Bushido different from chivalry?

🎧 1-45

- How is Bushido different from Western chivalry?

- Bushido in Japan is related to enhancing one's own spirituality or mentality, while with chivalry the focus is on caring about others.

- Would you be more specific about it?

- Chivalry in the West is highly influenced by Christianity and its consideration of the weak and downtrodden is held in high esteem. What I want to say in this connection is that both codes of conduct also have different perceptions of the status and role of women. Bushido encourages women to protect the household, while chivalry requires men to protect women.

- ☐ chivalry 名 騎士道
- ☐ related to ~
  ~に関連する
- ☐ enhance 動 高める
- ☐ Would you be more specific about it?
  もう少し具体的に言っていただけますか。
- ☐ Christianity
  名 キリスト教
- ☐ the downtrodden
  しいたげられた人々
- ☐ hold ~ in high esteem
  ~を尊重する
- ☐ What I want to say in this connection is that ~.
  これに関して私が言いたいことは~です。
- ☐ codes of conduct
  行動規範
- ☐ have different perceptions of ~
  ~のとらえ方が異なる
- ☐ encourage
  動 奨励する
- ☐ require
  動 ~を求める

「和」なアレコレにまつわる "不思議"

日本の "アレ" を英語で言ってみよう！

「武士道」
the way of the samurai; the code of the samurai; the samurai cult; Japanese chivalry; the fundamental principle on which what the samurai should be like is based
（武士がどうあるべきかが基づいている基本原理→武士のあるべき姿の基本原理）

深掘り！JAPAN！

● 日本の武士道と西洋の騎士道の違い

	武士道	騎士道
理想的人間像	samurai	gentleman
影響を与えた宗教	禅 (Zen Buddhism) …精神面 儒教 (Confucianism) …行動面	キリスト教 (Christianity)
方向性	人間の内への方向	世界の外への方向
1つの定義	A samurai is a man of more duties. (武士は義理の人)	A knight is a man of more rights. (騎士は権利の人)
女性観	Women should be strong enough to protect the home.	Women are weak. So men should protect them.

● 日本文化に影響を与えた花と武士道

梅 (Japanese apricot)	桜 (cherry blossom)	菊 (chrysanthemum)
バラ科、サクラ属、ウメ亜属 万葉集に100首以上 奈良時代以前：中国から渡来 鎌倉時代：梅干し (pickled plum) が解毒剤 (antidote) として武士の間で使用。	バラ科サクラ属 古今集に100首以上 鎌倉時代：梅から桜へ好みがシフト→美しく咲いて、勇敢に散るのが鎌倉期の武士の美学とされた。	キク科キク属 奈良時代：中国から渡来 平安後期：後鳥羽上皇が菊の模様を好んだため、自然に皇室の紋章になったが、明治2年に正式に決定。

※「雪は融け、月は欠け、花は散る」という潔さが武士道の精神に合うため、日本の美しい風物を表した「雪月花」が武士道とかかわっているという見方もある。

p.102 の日本語訳

😊 日本の武士道は西洋の騎士道とどう違うのですか。

👦 日本の武士道は自分自身の精神性を高めることに関係していますが、西洋の騎士道が焦点を当てているのは他人に対する思いやりです。

😊 もう少し具体的に言ってください。

👦 西洋の騎士道はキリスト教に強く影響されており、弱き者やしいたげられた者を思いやる心が尊重されます。これに関して私が申し上げたいのは、この武士道と騎士道の行動規範は女性の地位と役割に対して異なる見方を持っているということです。武士道は女性に家を守るよう奨励するのに対し、騎士道では男性が女性を守るよう要求します。

46 なぜ昔の人は丁髷を結っていたの？
🔊 1-46

Why did people wear topknots in the past?

Why did people wear topknots in the past?

A samurai's topknot originated in the ancient hair style called "motodori." It was set so it could fit the crown that noble people wore. In the age of the samurai, it developed into a style that suited samurai as it kept their hair from getting sweaty under their armored helmets.

I believe that it was not only samurai that wore topknots. In a movie I saw townspeople do so too.

The topknots that merchants wore were more for style and were actually just their hair pulled back and fluffed up a bit. They didn't wear their hair exactly the same as a samurai, but I agree that at quick glance it looks kind of the same. Let me take my hat off so you can take a look and see the difference.

- topknot 名 丁髷(ちょんまげ)
- originate in ～　～が起源である
- get sweaty　蒸れる
- armored helmet　鎧兜(よろいかぶと)
- townspeople 名 町人
- fluff up　膨らませる
- At quick glance X looks kind of the same as Y.
  さっと見た感じではXはYと同じふうに見える。

「和」なアレコレにまつわる "**不思議**"

日本の "アレ" を英語で言ってみよう！

「髪型」
a hair style;（女性の髪型）
a coiffure;［口語］**hairdo**

※ have an attractive hairdo
（魅力的な髪形をしている）

「ちょんまげ」
topknot

「丸刈り」
close clipping

※「丸刈りにしてもらう」は have one's hair clipped short = have a close crop

「パンチパーマ」
kinky permanent

※ punch perma は和製英語

「おかっぱ」
bobbed hair

「三つ編み」
braid hair

※「三つ編みにしてもらう」は braid one's hair in three strands

深掘り！JAPAN！

● ちょんまげの雑学
明治4年8月9日（1871年9月23日）に**断髪令**（Freedom of Haircut Law [=Law of Freedom of Haircut]）が**太政官**（Grand Council of State）**布告**（proclamation）され、さらに明治6年（1873年）、明治天皇の断髪に至ると、伝統的なちょんまげを結う男性が激減し、洋髪や**ざんぎり頭**（cropped head）が流行しました。ちなみに、「ちょんまげ」の「ちょん」は、前に折り返した髷が「ゝ」に似ていることが語源です。

● 高等植物の生育に必要な10元素の覚え方に「ちょんまげ」が出てきます。

C H O N Mg Ca K S Fe P
ちょ　ん　まげ　隠　す 笛 ピーピー

C = carbon（炭素）、H = hydrogen（水素）、O = oxygen（酸素）、N=nitrogen（窒素）、Mg = magnesium（マグネシウム）、Ca = calcium（カルシウム）、K=potassium（カリウム）、S=sulfur（硫黄［いおう］）、Fe = iron（鉄）、P=phosphorus（燐［りん］）

p.104 の日本語訳

😊 昔の人はどうしてちょんまげだったのですか。

🧑 武士のちょんまげは、髻（もとどり）という古代の髪型が起源です。それは貴族が冠を身につけるのに役立つ髪型でした。武士の時代になり、兜をかぶるのに、頭が蒸れない髪型として発達しました。

😊 ちょんまげをしていたのは武士に限らなかったと思います。映画で、町人もちょんまげ姿を見ましたよ。

🧑 商人は、もっと粋なものを好み、実際は、後頭部の髪を結ってから膨らませる感じにしていました。武士とは同じ丁髷を嫌っていましたが、ちょっと見たら同じようなものでした。私の帽子を脱ぐから見てごらん。（ちょんまげとの）違いが分かりますよ。

3章

47 なぜ侍は尊敬されるの?

Why are samurai revered in Japan?

🔊 1-47

Why are samurai revered in Japan?

Period pieces about samurai on TV are not as popular as they once were, so I don't think Japanese hold samurai in such high regard as a few decades ago. Historically, samurai pursued both an academic and athletic lifestyle. This Jack-of-all-trades approach is the reason they are respected so much by some.

Do you mean they weren't only proficient in swordsmanship?

That's right. They were well educated and wise, and at the forefront of Japan's drive to becoming a world economic and cultural power.

- ☐ revere 動 尊敬する

- ☐ period piece
  時代劇

- ☐ hold ~ in high regard
  ~を尊重する (=hold ~ in high esteem)
- ☐ academic and athletic lifestyle
  文武両道
- ☐ Jack-of-all-trades approach
  総合的人間を目指す姿勢

- ☐ proficient in ~
  ~に長けている

- ☐ at the forefront of ~
  ~の最前線に
- ☐ drive 名 機動力

- ☐ a power 大国
  ※ a superpower は「超大国」

「和」なアレコレにまつわる "不思議"

日本の"アレ"を英語で言ってみよう！

「時代劇」
a period piece ;
a period drama ;
a period film ;
a historical play

「大河ドラマ」
long-running historical drama series on NHK TV

「朝ドラ」
a morning television serial

「メロドラマ」
a soap opera

「ワイドショー」
a long variety program /
a talk and variety show

※メロドラマやワイドショーは和製英語

深掘り！JAPAN！

- 江戸時代前半は安定していたので、侍は戦うよりも、武道の練習と、芸術や書や能を嗜んだり、**算術**（arithmetic）を勉強したり、**精神修養**（mental training / moral cultivation）のために、禅の修行をしたりしていました。

- 本文には武道のことが出てきましたが、日本文化では「○○道」という表現が多いです。いくつかの道に絞って、これらの英語を整理しておきましょう。

  華道　flower arrangement
  茶道　the tea ceremony
  書道　calligraphy
  香道　traditional incense-smelling ceremony　※ incense は「お香」
  柔道　judo　※ a judo expert は「柔道家」、a suit for judo practice は「柔道着」
  剣道　kendo ; Japanese fencing ; way of the sword
  弓道　Japanese archery

- 合気道とアマテラスの長男の神様（正勝吾勝勝速日天忍穂耳命）の関係：
  合気道（art of self-defense making good use of the opponent's joints［相手の関節を巧みに利用する護身術］）の創始者である植芝盛平は、この神様の名前を合気道の理念としました。正しく勝つ（＝正勝）・己に勝つ（＝吾勝）・相手と対峙した時既に勝っている（＝勝速日）

---

p.106 の日本語訳

😊 どうして侍はそんなに尊敬されるの？

😎 侍をテーマにした時代劇が今はそれほどはテレビでやっていないので、数十年前ほど尊敬されている感じはしないけれど、歴史を見れば、武士の生き方は文武両道であった点が評価されるのです。このような総合的な人間を目指す姿勢が、一部の人に大人気である理由です。

😊 つまり、闘いに強いだけではないということ？

😎 そうです。教養があり、智恵がありました。そして、日本が世界的な経済大国や文化大国となるための機動力の最前線にいました。

48 なぜ日本は鎖国したの？

Why did Japan maintain isolation policy?

🔊 1-48

I hear Japan once closed itself off to the rest of the world. Why?

The biggest reason was the government at the time was afraid Christianity would spread in Japan. Christianity teaches that all humans are equal under God, which goes against the class system called "shi, no, ko, sho," or samurai, farmer, artisan, and merchant, respectively.

However, the Dutch were allowed to work on an island called Dejima, weren't they?

They got special permission from the Japanese government to do business there because the Dutch people clearly stated that they were only concerned with trade and not interested in propagating Christianity. It's said that the Dutch weren't confined to Dejima, but they, the governor-general and his entourage in particular, visited Edo every year, reporting to the government as part of their agreement.

- ☐ close oneself off to the rest of the world　鎖国する
- ☐ class system　階級制度 (=caste system)
- ☐ artisan　名 士農工商の「工」に属する人
- ☐ respectively　副 それぞれ
- ☐ propagate　動 普及させる
- ☐ confined to ~　~に閉じ込める
- ☐ governor-general　総督
- ☐ entourage　名 側近
- ☐ report to ~　~に出頭する 👍
- ☐ as part of one's agreement　契約の一環として

日本の"アレ"を英語で言ってみよう！

「鎖国」
an isolation policy;
a seclusion policy

「キリスト教の禁」
the ban on
Christianity

「キリスト教の解禁」
the removal of the
ban on Christianity

深掘り！JAPAN！

● 鎖国の良かった点
① 強力な**海洋技術**（maritime engineering）を身に付けた西洋諸国に対し、その勢力を排除する努力をしなかったら、他の東アジア地域のように、**植民地**（colony）になった可能性がある。
② オランダと交易があったので、キリスト教以外は、**オランダ語**（Dutch）を通じて最新の学問を取り入れることが可能だった。植民地とならなかったアジア諸国で、日本ほどヨーロッパの学問が広がった国はない。
③ 平和が長く続いたことで、**産業**（industry）や**金融**（finance）が発達し、近代化の基盤ができた。日本文化の様々な側面（歌舞伎・浮世絵・俳句・日本料理など）も、安定した経済のもとで、自由に展開した。

● 鎖国の悪かった点
① 外交手腕が学べず、**黒船**（black ships）来航時に対応を誤り、**不平等条約**（unequal treaty; one-sided treaty）を結んでしまった。
② 鎖国の反動で、**世界に類を見ない**（unprecedented; with no similarities seen in the other parts of the world）**西洋化**（westernization）が行われ、**土着文化**（culture native to Japan）を無視する傾向が日本を支配し、**白人コンプレックス**（an inferior complex to the Caucasian）を生み出した。
※ Caucasian（コーカサス人）は「白人」の代名詞となっている
③ 欧米の発達した技術や文化を、早い時期に受け入れることができなかった。

---

p.108 の日本語訳

😊 日本はかつて鎖国をしたようですが、なぜですか。

😀 日本にキリスト教が広まるのを、時の政府が恐れたからというのが最大の理由です。キリスト教は、人は神の元に平等であるという思想を持っているので、当時の体制である「士農工商」の制度を否定します。

😊 でもオランダ人は、出島という特別な場所で、受け入れられたんですよね。

😀 オランダ人との交易が許されたのは、彼らがキリスト教布教に関心がなく、ビジネスだけをしたいと表明したからです。オランダ人は、出島にとどまることなく、特に総督とその側近たちは、毎年、契約の一環として、江戸を訪れたとのことです。

お役立ちコラム③ 日本の家屋の特徴

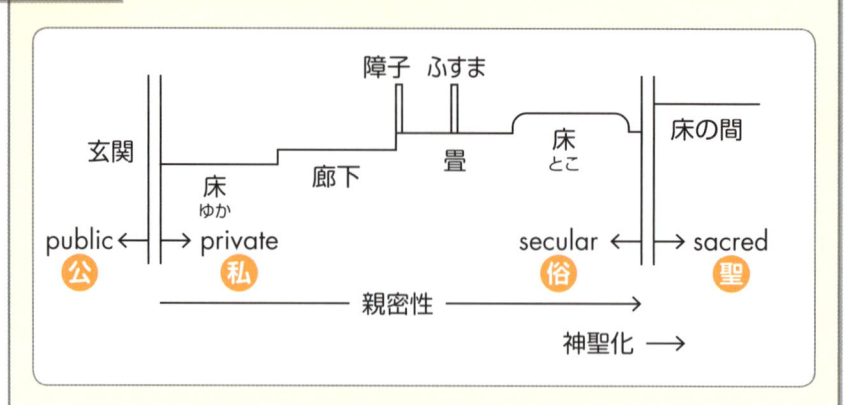

```
              障子  ふすま
   玄関                            床の間
        床          畳    床
        ゆか             とこ
        廊下
   public ← → private    secular ← → sacred
    公        私           俗         聖
        ←―――― 親密性 ――――→
                    神聖化 ―→
```

　日本の住居は奥へ行くほど徐々に高くなっていきます。これはよりプライベートな場所へ行くほど、神聖な場に近づいていることを示しています。そして、床の間の空間で、一気に空間が**神聖化**（**sanctify**）します。

　そんな家屋の入り口は、仏教的な名前が付いています。その名前は「玄関」。実は、玄関とは「玄妙なる関門」、詳しく言うと、「玄妙にして幽玄なる道に至る関門」ということで、簡単に言うと「悟りに至る門」の意味です。つまり、極めて仏教的ということになります。

　正月に年神を迎えるために、家屋内を段階的にではなく、全て神聖なものにする必要があり、そのために必要なアイテムとして「しめ飾り」を用います。神聖な空間を作る、最高にめでたいアイテムを集めた「門松」に降臨した年神がしめ飾りを見て、その家を訪れるのです（P33）。

　床の間（**alcove**）は神聖な面のみならず、芸術性のある「遊び空間」であるとも言えます。そこを**生け花**（**arranged flowers**）や**掛け軸**（**hanging scrolls**）で飾ったりするからです。同様に、部屋と部屋の間の襖の上の**欄間**（**transom**）も、芸術性を重んじた空間で、一種の遊び空間です。

4章

日本人にまつわる"不思議"

「日本人」というトピックも、彼ら（＝外国人）からすると、不思議に満ちているようです。外国人のお友達と仲良くなっていく過程で、きっと一度は聞かれるであろうネタを、18個ピックアップいたしました。

テーマいちらん

謝罪／お辞儀／Ｖサイン／仕事／お酒／微笑み／ノック／長寿／恐怖／お風呂／家長／正座／数／血液型／こだわり／夕食／色／起源

49 日本人はなぜ謝ってばかりいるの？

🔊 1-49

Why do Japanese apologize so often?

> I hear "sumimasen" all over the place. Why do Japanese apologize so often?

> We often use the word "sumimasen" for purposes other than apologizing. It's used most often to mean "thanks." People may choose to say "sumimasen" over "arigato," because "arigato" sounds a little bit arrogant to their seniors.

> The reason you use the word "sumimasen," which originally means sorry, when you thank someone for something is because you feel a sense of guilt, isn't it?

> That's right. On top of that, when you cut in front of someone or you speak to a stranger, you can use the same expression. In short, it corresponds to "excuse me." It also means "wait a moment" when you say it to passengers who are in an elevator which is about to close.

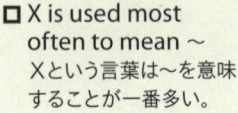

- ☐ X is used most often to mean 〜
  Xという言葉は〜を意味することが一番多い。
- ☐ arrogant
  形 偉そうな
- ☐ senior 名 目上
  (= superior / elders / betters)
- ☐ The reason X use ... is because 〜.
  …を使う理由は〜だからである。
- ☐ a sense of guilt
  罪の意識
- ☐ cut in front of 〜
  〜の前に割り込む
- ☐ correspond to 〜
  〜に相当する

日本人にまつわる **"不思議"**

日本の"アレ"を英語で言ってみよう！

「目上」
senior（先輩）　superior（上司）　elders（年配者）　betters（長者）

人間はどうあるべきかが、日本と西洋で発想が異なる！

人
日本人は「人」の漢字を用いて、人は持ちつ持たれつ（dependence）であるから協調の重要性を教える。

H
西洋人は Human（人）の頭文字Hを用い、お互いに独立心（independence）を持ちながら、仲よくせよと教える。

※ Hの真ん中の「−」を、2名の人の握手に見立てる

深掘り！JAPAN！

- 「すみません」と同様、「どうも」や「ちょっと」なども多様な意味を持っています。
- 謝罪の意味の「すみません」も多いです。**農耕社会**（agrarian society）独特の、人間関係をスムーズに保つ方法として、**和**（harmony）を重視するために、**謙遜すること**（modesty）が**謝り**（apology）の多さと関係します。みんなで**協力すること**（cooperation）が農耕社会の重要なポイントだからです。
- これに対し、西洋的な**狩猟社会**（hunting society）では、主人を中心とした家庭が基礎となり、他の家庭と**競い合うこと**（competition）が重要となるため、主人の健康が生活を左右します。だから How are you? が挨拶となりました。

p.112 の日本語訳
😊あちこちで「すみません」という言葉を耳にします。日本人はなぜそんなに謝っているのですか。

😊「すみません」は謝るとき以外にもよく使われます。一番多い用例は、感謝する時です。多分「ありがとう」より「すみません」が好まれます。目上の方に「ありがとう」は若干エラそうに響くからです。

😊元来謝る意味の言葉で感謝するのは、申し訳ないという気持ちが入っているからなの？

😊そうですね。さらに、人前を横切るとき、知らない人に話しかけるときも同じ表現が使えます。つまり、英語の Excuse me などの言葉の代わりにもなるのです。それに閉まりかけたエレベータの前でこの言葉を発すると、待ってくれますよ。

50 なぜ日本人はいつもお辞儀するの？

🎧 1-50

Why do Japanese always bow?

Why are Japanese always bowing?

Bowing is the main way of greeting. The habit is so ingrained in people that some even bow to someone they talk to over the phone.

There seems to be more than one type of bowing.

In fact, there is. Bowing as a form of respect is called "*rei*" and there are four types. There's "*eshaku*," in which you lower your head by about 15 degrees to make an informal greeting; "*keirei*," in which your head is lowered 30 degrees, and is meant to be used when addressing an elder; "*saikeirei*," which is a bow at a 45-degree angle and is meant for the Emperor and nobility; and finally "*hai*," which is performed as a mark of respect for a Shinto god or gods at shrines and is done by bending forward at 90 degrees. The lower one bows their head, the more reverence they show.

- ingrained in ～
  ～に深くしみ込んでいる
- address
  動 ～に挨拶する；話しかける
- at a 45-degree angle
  45度の角度で
- nobility　名 貴族階級
- as a mark of ～
  ～の印として
- bend forward
  前かがみになる
- reverence　名 敬意

日本人にまつわる "不思議"

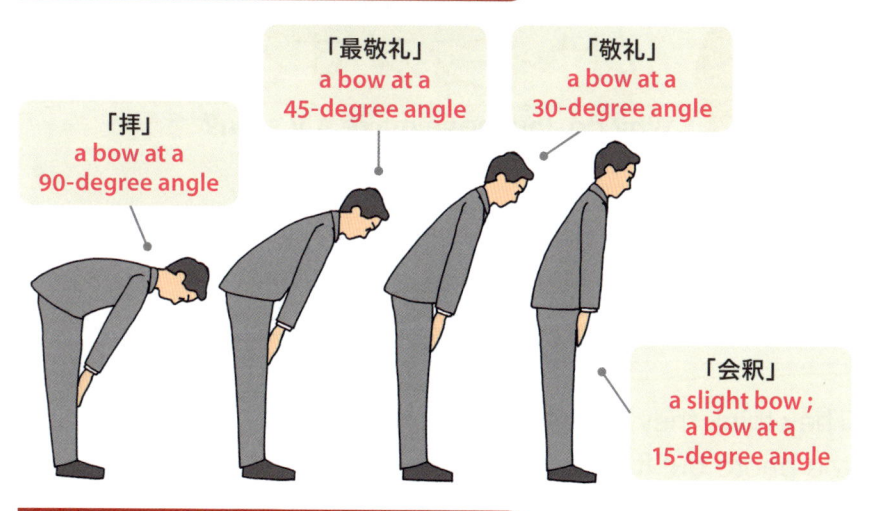

日本の "アレ" を英語で言ってみよう！

「拝」
a bow at a 90-degree angle

「最敬礼」
a bow at a 45-degree angle

「敬礼」
a bow at a 30-degree angle

「会釈」
a slight bow ;
a bow at a 15-degree angle

深掘り！JAPAN！

- 「礼拝 (worship)」という漢語は「礼」(bowing one's head in respect) と「拝」(bowing one's head in the highest respect) から成っています。「礼」と「拝」は異なります。礼とは通例30度ぐらい頭を下げる行為 (広くは15度から45度まで) ですが、拝とは90度曲げる行為です。90度は最も大きな敬意を示す礼拝です。

- ビジネスにおけるお辞儀のプロセス
  ①立ち止まり、**良い姿勢 (good posture)** で立つ (歩きながらのお辞儀はダメ)。
  ②**相手と目を合わせる (look into the other's eyes)** (いきなりお辞儀はダメ)。
  ③**腰を折り曲げる (bend one's back forward)** (首だけ下を向けるのはダメ)。
  ④**早めに腰を戻す (unbend relatively soon)** (長くお辞儀をするのはダメ)。
    ※ unbend とは bend したものを元に戻す意味。unbend oneself と言えば「くつろぐ」の意味になる。

- 「語先後礼」と言って、**正式には (formally)**、「ありがとうございます」等の言葉の後に礼をします。

p.114 の日本語訳

😀なぜ日本人はお辞儀ばっかりしているの？
😀お辞儀が主な挨拶の方法だからです。でもそれが癖になり、電話をしながらお辞儀をしている人もいますね。
😀お辞儀には種類があるみたいだけれど。

😀事実、あります。正式には「礼」といい、4種類があります。軽い挨拶に用いられる15度頭を傾ける「会釈」、目上の人にする30度の「敬礼」、天皇および高貴な人への挨拶の45度の「最敬礼」、最後に神社の神様の前で行う90度の「拝」があります。お辞儀が深くなるほど敬意が強くなります。

4章

51 なぜ日本人はVサインをするの？
Why do Japanese make a V sign?

1-51

> Why do Japanese make a V sign with their fingers when they have their photo taken?

> They think they have to pose for the photo but it is easy for them to do what everybody has been doing for a long time. That is the peace sign. Although this doesn't exactly reflect the majority of people nowadays.

> The peace sign? Is it a V sign?

> That's right. We call the V sign the peace sign. It seems that this sign has been popular since around 1970.

iStock.com/ByeByeTokyo

☐ pose for 〜
　〜に対してポーズをとる

☐ majority
　名 過半数；多数派
☐ nowadays
　副 最近は

日本人にまつわる "**不思議**"

日本の"アレ"を英語で言ってみよう！

「集合写真」
a souvenir picture

「ハイ、チーズ」
Say cheese!

※英語では [iː]（イ）の発音となり、口は笑っている感じになりますが、日本語で「ちーず」というと [u]（ウ）の発音となり、口はとがるので、英語で発音しましょう。

「自撮り棒」
a selfie stick;
a selfie pole;
a selfie taker

「自撮り」
a selfie
(a picture taken of yourself mainly for SNS)

※ I took a selfie in Ise Grand Shrine.
（伊勢神宮で自撮りした）

深掘り！JAPAN！

● 日本人がピースサインをする理由には**3つの説**（**three theories**）があります。
　①1960年代に盛んだった**学生運動**（**student movement**）の学生がしていたサインの影響
　②『サインはV』という漫画の影響
　③歌手の井上順がピースサインをした1972年のカメラのCMの影響

● ピースサインは日本人のオリジナルではなく、もともとはイギリス兵の**挑発**（**provocation**）のサインであったが、勝利、平和へと意味が変わったという説もあります。

● ピースサインの意味がまったく異なる国というのもあります。ギリシャでは「**くたばれ**（**Drop head!; Go to hell!; Shove it!**）」、インドでは「**大便したい**（**want to defecate**）、**うんちしたい**（[幼児語] **do number two**）」、イギリスやオーストラリアでは、**手の甲**（**back of the hand**）を見せてVサインをすると、**侮辱**（**insult**）の意味を表すことになります。ちなみに、イランでは親指を立てたら侮辱、ブラジルではOKサインは侮辱を表します。

---

p.116 の日本語訳
😊日本人は写真を撮ってもらうとき、どうしてVサインをするの？
😊何かポーズ取らないといけないと考え、以前からみんながしていることをするのが楽です。それがピースサインなのです。このことは最近では大抵の人に当てはまるわけではないですが…。
😊ピースサイン？　Vサインのことですか。
😊そうです。このサインをピースサインと言っています。このサインは1970年ぐらいからはやりだしたみたいですね。

4章

52 なぜ遅くまで働くの？

1-52

Why do Japanese work so late?

Why do Japanese work so late?

A lot of Japanese are afraid to leave work before their boss. Since their boss tends to work late, they won't go home at the normal time. This phenomenon takes place because we attach great importance to relationships, in this case the boss-subordinate relationship. There is also a deeply rooted belief that it is respectable to start work earlier than the normal starting time and finish later than the specified time. This tendency is changing these days, though.

I think it's better to place more importance on one's family or private time than the workplace.

Some Japanese actually like their jobs and don't view work as a negative thing. People in Western countries are quick to say that they work to live, that is, they work to earn money to enjoy life. It wouldn't be too far-fetched to hear a Japanese say that they live for work.

- attach great importance to ～
  ～を非常に強調する
- the boss-subordinate relationship
  上司と部下の人間関係
- deeply rooted
  根深い
- respectable
  形 尊敬すべき
- the specified time
  決められた時刻
- place more importance on ～
  ～をもっと重視する
- far-fetched　こじつけの；不自然な

日本人にまつわる "**不思議**"

日本の "アレ" を英語で言ってみよう！

「残業する」
work overtime　※ overwork は「働き過ぎる」

「サラリーマン」
salaried worker　※固定給をもらっていることを強調した表現
office worker　※事務所で働くホワイトカラーを強調した表現
company employee　※会社員であることを強調した表現

※ salaryman は和製英語。OL (= office lady) も和製英語で、どうしても表現したい場合は、female office worker ぐらいになりますが、近年は、男女を分ける英語は避けられています

例) chairman（議長）⇒ **chairperson**　　　　mailman（郵便配達人）⇒ **mail carrier**
　　milkman（ミルク配達人）⇒ **milk deliverer**
　　stewardess（スチュワーデス）⇒ **flight attendant; cabin attendant**
　　waiter / waitress（ウエイター / ウエイトレス）⇒ **server**

深掘り！JAPAN！

● 人に関する和製英語を正しく知っておきましょう。
例えば「タレント」は a personality、「キャンペーンガール」は a promotion girl、「バスガイド」は a bus tour conductor。

● **日本神話**（Japanese mythology）とキリスト教の**創世記**（Genesis）の「**労働観**（outlook on labor）」の違いが、日本人と西洋人の労働観の違いと関係があるという説があります。日本神話では、最高神**アマテラス**（Great Sun Goddess）自身が農業を行ったという記述があるので、労働は**神聖な**（sacred）ものとしています。創世記では、善悪の知識の木になる**禁断の木の実**（forbidden fruit）をとって食べたために、神の掟を破った罪＝**原罪**（original sin）で、罰として、**楽園**（Paradise）を追放され、男子は**労働**（labor）の苦しみ、女子には産みの苦しみを与えられました。労働は罰として与えられました。
※ labor という単語には、「労働」以外に女性に与えられた苦しみ「陣痛」の意味があります。

p.118 の日本語訳

😀日本人はなぜ遅くまで仕事をするの？
😀上司よりも前に帰りにくいという日本人が多いですね。上司が遅くまで仕事をするので、定められた時間に帰れないのです。この現象が起こるのは、我々が人間関係、この場合、上司と部下の関係を非常に重視するからです。正式な開始時間よりも早く仕事を始め、決められた時間よりも遅く仕事を終えることを尊重すべきだという根強い考えもあるのです。近頃はこの傾向も変化しつつありますが…。
😀職場よりも家庭やプライベートな時間をもっと重視するほうがよいと思いますが。
😀実際に仕事が好きで仕事をマイナスのものと捉えない日本人がいます。西洋人は、すぐに、生活のために仕事をしている、つまり、生活をエンジョイするためにお金を儲けていると言いますね。ある日本人が仕事のために生きているというのを聞いても、そんなのは嘘だとは思いません。

4章

53 なぜ仕事の後お酒を飲みに行くの？

🔊 1-53

Why do people go to bars so often after work?

Why do Japanese go to bars so often after work? You even <u>make a point to visit</u> <u>more than one bar</u> a night. Why?

Alcohol helps <u>relieve the stress</u> we get from work. Together with our <u>colleagues</u>, we frequently go from one bar to another to <u>let off steam</u>.

What if you really don't want to go? Can't you refuse to go by saying something like, "My wife is waiting for me tonight"?

It's difficult for Japanese to refuse particularly when invited by <u>superiors</u>. <u>Bar-hopping</u> <u>can be either a paradise or a hell depending on</u> who invites you, though.

- ☐ **make a point to do**
  〜することを主張する
  (=make a point of doing)
- ☐ **more than one bar**
  2軒以上の飲み屋
- ☐ **relieve stress**
  ストレスを解消する
- ☐ **colleague** 名 同僚
  (=co-worker)
- ☐ **let off steam**
  ストレスを発散する
- ☐ **superior** 名 上司
- ☐ **bar-hopping**
  はしご酒
- ☐ **X can be either A or B depending on Y.**
  XはYによってAでもBでもありうる。

日本人にまつわる "不思議"

日本の "アレ" を英語で言ってみよう！

主要原料による酒の分類　　※「醸造する」は brew、「蒸留する」は distill

主な原料	醸造酒 (brewage)	蒸留酒 (spirits /［米］hard liquor)
米 (rice)	清酒 (sake)	焼酎 (Japanese spirits)　[sweet potato なども原料]
大麦 (barley)	ビール (beer)	ウイスキー (whiskey)
葡萄 (grape)	ワイン (wine)	ブランデー (brandy)

深掘り！JAPAN！

- 西洋人は、**bar-hopping**（はしご酒）はほとんどしませんが、**job-hopping**（転職を繰り返すこと）は頻繁にします。日本人とは逆ですね。

- 西洋人にとっては、仕事を変えて、**自分を向上させる**（enhance oneself; prove oneself）ことが大切ですが、日本人にとっては、**仕事のストレスを解消させて**（get rid of stress accumulated during work）、同じ仕事を続けることが大切だということになります。

- 日本は昔**農耕社会**（agrarian society）で、土地を離れられなかったため、あまり移動を好まない傾向にあります。一定の場所にとどまり、みんなで協力することが重要で、お酒は人間関係の**潤滑油となる**（reduce the friction）のです。

- 一方、**狩猟社会**（hunting society）が主流であった西洋では、新しい土地を求めて移動し、色々な民族と戦わないといけないので、自然と競争が重要となってきます。外で酒を飲むのは危険ですね。

- 日本のような森林が多く自然が豊かな国では、農業をするのに問題は天候です。だから、「いい天気ですね」など**天気の状況**（whether it is fine or not）を挨拶に用いるようになりました。

- 一方、西洋は、一家の主人の体力と健康と仕事の調子が重要な社会なので、**調子がいいかどうか**（whether one is fine or not）をチェックする How are you? や How is it going? が挨拶表現として定着したと思われます。

p.120 の日本語訳

😊 日本人は仕事の後よく飲みに行くのはなぜ？ なぜはしご酒をしようとするの？

😊 日頃の仕事上のストレス解消にお酒が役立っています。仕事の同僚ならはしご酒をして、ストレスを発散することが多いでしょう。

😊 付き合いがいやだということもあるでしょう。今夜は家で奥さんが待っていると言って、うまく断れないの？

😊 特に上司に誘われると、断れないという状況になりますね。はしご酒もどの上司に誘われたかによっては天国と地獄の差になるでしょうね。

54 なぜ日本人はよくニヤニヤするの？

Why do Japanese often smirk?

1-54

I often see Japanese smirk. Is there any particular reason for this?

Japanese are not good at asserting themselves. We prefer to maintain cordial relationships with people rather than be too opinionated and drive others away. This is why we tend to smirk when we don't know how to answer a question.

You won't state your opinion even when you understand what is asked? Also, don't you ask what the question means when you don't fully understand it?

That's when we smirk. I'm a teacher, and when I ask one of my students a question, it's common for a student as well as those in his or her vicinity to smirk when they don't know the answer.

☐ smirk
動 ニヤニヤ笑う

☐ assert oneself
自己主張する

☐ cordial relationship
仲のいい人間関係

☐ opinionated
形 自説を曲げない；強情な

☐ in one's vicinity
人の近くにいる

日本人にまつわる "**不思議**"

日本の "アレ" を英語で言ってみよう❗

「福笑い」
a traditional game played while blindfolded during the New Year season, in which a person put parts of a face like eyes, ears, and nose on a face outline
（人が目隠しをして、顔のパーツ、たとえば目や耳や鼻を、顔の輪郭に置いていく、正月期間に遊ぶ伝統的なゲームである）

※ pin the tail on the donkey というゲームに似ている

深掘り❗ JAPAN❗

- 「笑う門には福来る」という**ことわざ**（**proverb**）は、「いつも笑っている人の家には幸福が訪れる」という意味です。このことわざの**英語バージョン**（**English counterpart**）は、Laugh and grow fat. です。このことわざの意味を直訳すると Good fortune will come to the home of those who laugh. となります。英語では、Fortune comes in by a merry gate.（幸運は陽気な門から入ってくる）という表現もあります。

- 「笑う門には福来る」を神道的に解釈してみましょう。笑うことは**振動**（**vibration**）が生じ、神様の**神霊**（**divine spirit**）を震わせます。これを魂振りと言います。魂振りをされた神霊は、**神威**（**divine power**）が増し、神様は喜ばれます。その結果、神様は、お返しに**福なるエネルギー**（**energy of happiness**）を我々に与えるという考え方です。

- お祈りのときの**二拍手**（**clapping our hands twice**）も魂振りに当たる行為とされます。（P.46 参照）

- お神輿（**portable shrine**）を担ぐ時も、**激しく上下に揺らす**（**toss up and down vigorously**）ということが多いですが、これも魂振りの例です。

- つまり、「人の声 ➡ 笑い声(laughter by humans)」、「物の音 ➡ 拍手の音(sounds made by clapping)」、「物の動き ➡ お神輿を激しく振る (toss the portable shrine up and down vigorously)」の3つが神霊の魂振りとなります。

p.122 の日本語訳

😀 日本人がニヤニヤするのをよく見かけるけど、何か特別な理由があるの？

😊 日本人は自己主張がうまくできません。自説を曲げず論破するより、仲よくすることを好むからです。それで、何か質問されて、どう返事していいかわからないとき、にやりとする傾向があるのです。

😀 質問の意味が分かっていれば、自分の意見を堂々と言うか、十分に意味が分からないとき、どういう質問かを聞くとかしないの？

😊 そういうときこそ、ニヤニヤするでしょうね。私は教師ですが、学生1人に質問すると、ちゃんと答えず、近くの席の学生と一緒に笑っているということが結構ありますよ。

55 日本人はなぜ2回しかノックしないの？

1-55

Why do Japanese knock only twice?

In Japan I often hear two knocks at a time. In our country two knocks means we're checking if there's anyone using a bathroom stall. When we want to make it clear that we would like to enter we knock three times. Why do Japanese knock twice?

Japanese culture has placed significance on even numbers since ancient times. *Kagami-mochi*, a symbol of New Year's Day, consists of two rice cakes, one on top of the other. At shrines we bow deeply twice, clap twice, and then bow once again.

- ☐ bathroom stall トイレ
- ☐ place significance on ~ ～を意義深いものとする
- ☐ consist of ~ ～から成る (=be composed of ~ ; be made up of ~)
- ☐ speaking of which それについて言えば
  ※ speaking of which は speaking of that と同じ意味であるが、会話の相手の文を受けて、which を用い、このように言える。
- ☐ torso 名 胴
- ☐ syllable 名 音節
- ☐ simple quadruple time 4拍子
- ☐ multiple 名 倍数

Speaking of which, a snowman in Japan is made with only two balls. Our snowmen are made of three which make up the head, torso, and legs.

Old *Tanka*, or short poems with the pattern of 5-7-5-7-7 syllables, are of simple quadruple time, which is a multiple of two.

日本人にまつわる **"不思議"**

日本の"アレ"を英語で言ってみよう！

「偶数」
even number

「奇数」
odd number

深掘り！JAPAN！

- トイレでの2回のノックは、中に人がいるかどうか確認のためということが多いですが、実際には Is this occupied?（入っていますか？）と聞く場合もあります。これに応答する場合、英語では、"Someone in!"となります。顔が見えない場合は、I と you の関係が成立しないので、"I am in."とは言えないからです。これは、例えば、誰かが訪ねてきて「どなた？」と聞く場合、"Who are you?"ではなく"Who is it?"と聞くのと同じ原理です。

- 日本は元来「2」という繰り返しを好む傾向があります。**時間的には**（timewise）、神社での柏手の「二度」**空間的には**（spacewise）、鏡餅の「二重」が典型例です。

- 五七五七七は**拍子**（musical time）を表しているわけではなく、**音節**（syllabus）のまとまりの数を表しています。音楽的には**4拍子**（quadruple time）です。

- 短歌や俳句、そのほかの日本の昔の詩や音楽は、全て4拍子で歌えます。俳句の例で検証します。
  古池や蛙飛び込む水の音
  ➡ ふる / いけ / や・ / ・・ // かわ / ず・ / とび / こむ // みず / の・ / おと / ・・

- 日本人は、**建前**（principles; official stance; what they say）と**本音**（real intention; what they really think）を立て分けるので**二面性**（duality）があると言われます。たとえば「彼女は決して**本音を漏らさない**」は She **never shows** her **true colors**. のように言い、「ついに彼**の本音を聞く**ことができた」は I finally **got the truth out of** him. のように言うといいでしょう。

- 以上、日本文化における「二」を好む現象をまとめると、時間の「二度」、空間の「二重」、言語の「二拍」、人間の「二面」が特徴であるということになります。

p.124 の日本語訳

😊日本ではノックが2回であることが多いですね。我々の世界では2回のノックは中に人がいるかの確認で、トイレで用いることはあります。部屋に入ってよいかの確認は3回のノックです。どうして、日本では2回が多いのですか？
😊日本は古来、偶数を基本とした文化です。だから、お正月のシンボルである鏡餅は2段、神社でのお祈りは2礼2拍手1礼です。
😊そういえば雪だるまも2段ですね。我々の雪だるまは頭・胴体・足の3つの部分からなりますが…。
😊日本の昔の短歌（五七五七七）も2の倍数である4拍子なのですよ。

56 日本人はなぜ長生きなの？
Why do Japanese live so long?

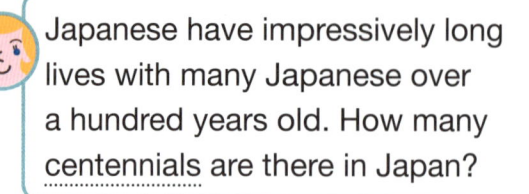

🎧 1-56

> Japanese have impressively long lives with many Japanese over a hundred years old. How many centennials are there in Japan?

> As of 2015, the number of people over one hundred years of age surpassed 60,000. I've heard that 30,379 people are expected to turn one hundred years old this year. This will be the first year when more than 30,000 people pass the century mark in a year.

> What is the reason for Japanese longevity?

> A variety of factors combined are attributable to Japanese longevity. Advanced healthcare, low mortality rate of infants, elderly people still highly motivated to work and remain active in local communities, healthy Japanese food, love of hot baths, and so on. The factors may be too many to mention.

- ☐ centennial
  百歳の人
- ☐ surpass 動 超える
- ☐ longevity 名 長生き
- ☐ attributable to ～
  ～に帰着する
- ☐ mortality
  名 死亡率；死亡者数
- ☐ highly motivated
  やる気が十分
- ☐ too many to mention
  枚挙にいとまがない；
  挙げたらきりがない
  (=too numerous to enumerate)

日本人にまつわる "不思議"

深掘り！JAPAN！

- 2014年の日本人の平均寿命は、男性80.50歳、女性86.83歳。
- 日本人男性は世界3位、女性は世界1位。
- 理由としては、**医療制度**（health care system）の充実、**乳幼児死亡率**（child mortality）の低さ、高齢で**勤労意欲**（the will to work）が高い、**社会参加率**（public participation rate）も高い、貧富の差が少ないことなどが挙げられます。また、食事と入浴（感染症[infectious disease]の予防）の習慣や、世界的に見て**脂肪摂取量**（fat intake）が少ないこと、魚を食べる（世界平均の10倍）ことやカテキンとビタミンCのような**抗酸化物質**（antioxidant）を含む緑茶の摂取（動脈硬化[arteriosclerosis]やガンを防ぐ）も、要因として考えられるでしょう。
- 2015年で100歳以上が61568人になり、これは45年連続増加しています。10万人当たりの人数は、島根県が3年連続1位[90.67人]、2015年度中に100歳となる予定の人は30379人（初めての3万人超え）です。100歳以上は、調査開始年の1963年は153人、98年に1万人を超えたので、近年の数は極めて多いことになります。
- 「魚を多く食べること」についてですが、反面、次のような指摘もあります。

Japanese like eating fish, yet the Helicobacter pylori in raw fish is the main reason why so many Japanese succumb to stomach cancer. It's a double-edged sword.

（日本人は魚を食べるのが好きだが、生魚に含まれるピロリ菌は、日本人の多くが胃癌に倒れる主な原因となっている。魚は諸刃の剣だ）

※ succumb to＋病気は「病気に倒れる」の意味です。a double-edged sword は「諸刃の剣」や「両刃の剣」とも言い、非常に役立つ一方で危険な側面も併せ持つものを指します

4章

---

p.126 の日本語訳

😀 日本人はすごく長生きだから、100歳以上の人も多いですね。何人ぐらいいますか？

😊 確かに2015年現在では、100歳以上の日本人が6万人を超えました。今年度中に100歳となる予定の人は30379人ということで、1年間で100歳を超える数が、今年初めて3万人を超えました。

😀 日本人が長寿である理由は何ですか？

😊 いろいろな要因が複合的に絡み合って日本人が長生きになっているのです。例えば、医療制度の充実、乳幼児死亡率の低さ、高齢者の勤労意欲や社会参加意欲の高さ、健康的な和食、無類の入浴好きなど、挙げたらきりがありません。

57 日本人が怖いものって何？

🔊 1-57

What are Japanese four fears?

- I heard that Japanese have four fears. What are they?

- I suppose you're referring to "*Jishin, Kaminari, Kaji, and Oyaji*," which is an old list of fears that means earthquake, thunder, fire, and father, respectively.

- Is father really one of the fears?

- There once was a time when the father was the absolute authority in a family. The father held a position in the family that demanded obeisance and awe; however, this is no longer the case. The enforcement of the Equal Employment Opportunity Law, a growing number of men helping with housework, and the emergence of stay-at-home husbands have all contributed to the weakening of the father's authority within the family.

☐ thunder 名 雷

☐ authority in ~
  ~という場所での権威
  ※ authority on ~なら「~の分野の権威」の意味

☐ obeisance 名 服従

☐ awe 名 畏敬

☐ the Equal Employment Opportunity Law
  男女雇用機会均等法

☐ emergence 名 出現

☐ stay-at-home husband 主夫（＝ househusband）

☐ X contributes to Y.
  XがYの原因となる。；Xの結果としてYとなる。

日本人にまつわる "不思議"

日本の "アレ" を英語で言ってみよう！

「雷おやじ」
a bad-tempered old man; an irascible old man; a thunderer

「雷族」
motorbike tearaways; motorbike hooligans

深掘り！JAPAN！

- 「雷」の英語は、thunder が一般語ですが、thunder には「雷鳴」「雷の音」の意味もあり、lightning は「稲光」「雷の光」を表します。The building was struck by lightning.（そのビルに雷が落ちた）のように言います。また、一般に、a thunderbolt（雷電）と言えば、音と光の両方を表します。
  ※ lightning につづりの似た lightening は、lighten という動詞の ing 形

  【light に関わる動詞の３種】
  □ light　〜に火をつける　※「煙草に火をつける」など
  □ lighten　〜を軽くする；〜を明るくする
  □ enlighten　〜を精神的に明るくする（＝啓蒙する；悟らせる）

- 濁点の言葉は不思議なことに、マイナスイメージが多いです。例えば、ぼろ、くず、ばか、ぼける、だらける、すぼら、きらきら（王子様の目）とぎらぎら（狼のような男の目）、ころころ（子犬）とごろごろ（お父さん）など。
  ※ゴロゴロしているお父さんを「新カミナリ親父」と言った時代があった

「恐怖症」の英語

日本人の 97％は恐怖や不安を感じる遺伝子 (gene) を持つ＝世界一の怖がり！？

高所恐怖症	acrophobia	対人恐怖症	anthropophobia
閉所恐怖症	claustrophobia	男性恐怖症	androphobia
広場恐怖症	agoraphobia	女性恐怖症	gynophobia
赤面恐怖症	erythrophobia	外国（人）恐怖症	xenophobia
先端恐怖症	fear of needles	蜘蛛恐怖症	arachnophobia

※ an acrophobe（高所恐怖症の人）など phobe 形は「〜恐怖症の人」を表す。

p.128 の日本語訳

👦 日本人には、4つ怖いものがあると聞きました。それは何ですか？

👨 きっと昔の言い回しで「地震・雷・火事・おやじ」ということを言っているのでしょうね。順番に earthquake, lightning, fire and father です。

👦 お父さんが怖い代表の4つに入っているのですか。

👨 昔はお父さんは家庭内で絶対的な存在で、服従と畏敬の念を要求する地位にありました。しかし、現在はちっともそんなことありません。男女雇用機会均等法などができ、男性も家事を手伝い、主夫も存在している現在、父親は家族内で怖い存在ではなくなりました。

58 日本人はなぜ毎日お風呂に入るの？

🔊 1-58

Why do Japanese take a bath every day?

> Why do Japanese take a bath every day?

> The short answer is that we like cleanliness. We love taking a bath and also like bathing in hot springs. Bathing in hot springs is not about relieving ailments but about relaxing and enjoying a nice meal afterwards.

> Many Americans think a shower is enough to clean the body, but you guys soak in the bath for a while, don't you?

> For most Japanese, taking a bath means soaking in a hot tub in addition to rinsing off with a shower. The average time people bathe is longest in Aomori, which is 36 minutes. In Shimane, people spend the shortest time per bath, which is 23 minutes. The national average for bathing is 30 minutes, with half that time spent in the actual tub.

- ☐ relieve ailment
  病気を癒す

- ☐ soak in the bath
  湯船につかる
- ☐ bathe
  動 お風呂に入る
- ☐ longest in X
  Xが一番長い
  ※ the longest in Xなら「Xで一番長い」の意味。
- ☐ with X spent in Y
  Xのような時間をYという場所で過ごす

日本人にまつわる "不思議"

深掘り！JAPAN！

- お風呂の温度は平均41度、南北に差はありません。ある調査では、寒さが厳しいところがお風呂の温度を上げているわけではないことが分かっています。
- 温泉リハビリなどで西洋人が入る温泉の温度は34度から37度ですから、熱くも冷たくもない温泉を好むのが西洋人であると言えます。一方、日本人は、高めの温度が好きで、40度から43度の範囲の温泉に入ります。
- お風呂の目的は、①体を洗う（wash one's body）、②体を温める（warm up one's body）、③疲れやストレスを解消する（get rid of fatigue and stress）の３つが挙げられます。
- お風呂の温度の違い

温度		
45度〜48度	超高温 (extremely hot)	草津温泉、医療目的、短時間入浴
42度〜45度	高温 (hot)	温泉・大衆浴場
39度〜42度	中温 (warm)	一般家庭
37度〜39度	低温 (lukewarm)	リラックス、若者向け、長時間入浴
34度〜37度	不感温 (not hot or cold)	温泉リハビリ、西洋の保養所

- 定義上、次の２つのどちらかが当てはまれば、温泉といえます。
①源泉の温度が25度以上であること。
②19の特定成分が１つ以上、規定値に達していること。
- 禅宗でもお風呂が強調され、**七堂伽藍** (seven essential buildings of a temple) の１つに加えられています。七堂伽藍とは、禅宗では一般に、次のような建物です。

三門	仏殿	法堂	禅堂	食堂（ジキドウ）	浴室	東司（トウス）
main gate	main hall	lecture hall	meditation hall	dining room	bathroom	rest room

p.130 の日本語訳

😊 日本人はなぜ毎日お風呂に入るの？
😀 一言でいえば綺麗好きだから。お風呂自体が好きなので、温泉好きでもあります。温泉は病気を治しにいくイメージではなく、ゆっくりくつろいで、あとでおいしいものを食べるイメージです。
😊 アメリカ人は汗を流すならシャワーだけでもいい感じですが、湯船につかるのですね。
😀 日本人はお風呂に入れば、ほとんどの人がシャワーで洗うことに加え、湯船につかります。お風呂に入っている時間は青森県民で平均36分と日本一長く、島根県で平均23分と日本一短く、全体の平均は30分で、湯船につかるのはその半分の15分が平均です。

59 日本の家庭の主人は誰なの？

1-59

Who is the head of a Japanese household?

In Japan, the wife manages the family budget so they are the head of the family, right?

The husband is the main bread earner in most families so they are thought of as the family head, but actually the wife commands the family budget. The husband usually gets a monthly allowance from his wife.

The fact that the wife controls the family purse string really puts the husband at a financial disadvantage.

I presume there are some chauvinistic husbands. An organization named the "National Anti-Chauvinistic Husband's Association" was established in 1999. It seems that their goal is to condition husbands to enjoy being henpecked by their wives.

- ☐ family budget 家計
- ☐ bread earner 稼ぎ手
- ☐ a monthly allowance 小遣い
- ☐ family purse string 財布のひも
- ☐ put 〜 at a financial disadvantage 〜を財政的不利な状況にする 👍
- ☐ chauvinistic husband 亭主関白の夫
- ☐ National Anti-Chauvinistic Husband's Association 全国亭主関白協会
- ☐ condition ... to do 〜 …を〜できるように慣らす、条件づける
- ☐ henpecked 形 尻に敷かれた

日本人にまつわる "**不思議**"

日本の "アレ" を英語で言ってみよう❗

「亭主関白の夫」
a domineering husband; a husband who rules the roost

※「私の夫は亭主関白だ」は My husband is bossy.

「カカア天下の妻」
a domineering wife; a wife who wears the pants/trousers

※「彼のところはカカア天下だ」は、He is a henpecked husband.（彼は尻に敷かれた夫［＝恐妻家］だ）や、He is under his wife's thumb.（彼は奥さんの言いなりになっている）や、The wife wears the pants in his family.（奥さんが牛耳っている）など、さまざまな言い方ができる。

深掘り❗ JAPAN❗

- 財政を妻に任せる発想は武家社会で、武士の家を守るという責任を妻に負わせたことからきています。
- 男は外で仕事、女は家を守るという「男女の役割分担（division of roles between men and women / sexual role-sharing）」がきちんと機能していた側面があります。今は平等社会となっている（social equality is the name of the game）ので、この考え方は若干古いと言えます。
- 家族の累計には3種類あります。
  ①夫婦家族性（conjugal family）：いわゆる**核家族**（**nuclear family**）
  　　　　　　　　　　　　　　　　［ヨーロッパ型］
  ②直系家族性（stem family）：子の1人だけ結婚後、後継として親と同居
  　　　　　　　　　　　　　　　　［アジア型］
  ③複合家族性（compound family）：いわゆる大家族［インド、中国、中東に多い］
- 日本とヨーロッパのイエに関する伝統的な発想の違い
  ▶ 日本では私的空間（血縁：blood relations）と公的空間（地縁：regional bond）をはっきり分けない。※地縁は territorial relationship とも言う
  ▶ 日本の発想 ➡ 遠い親戚より近い他人 ………………「血」よりも「地」
  ▶ 西洋の発想 ➡ Blood is thicker than water.………「地」よりも「血」

p.132 の日本語訳

😊 日本では奥さんが財政の権限をもっているので、家庭の主人は奥さんですね。
😊 夫が主に働いているので、主人は夫とされていますが、確かに財政的な力があるのは妻のほうです。日本の夫は妻から毎月小遣いをもらいます。

😊 奥さんにお金を握られたら夫は財政的に弱い立場になりますね。
😊 亭主関白な夫もいると思いますよ。全国亭主関白協会という組織が1999年に設立されましたが、「いかに上手に妻の尻に敷かれるか」が目的であるようです。

60 日本人は長時間正座するのが好きなの？ 1-60

Do Japanese like to sit upright for long hours?

Why do Japanese maintain a custom of kneeling in a formal manner for long periods of time? This is called "seiza," right? Doesn't it hurt?

Japanese place emphasis on keeping traditions alive. It is true that this kind of sitting is painful and can be inconvenient at times, but lowering one's guard and taking such a defenseless posture is the starting point of socially accepted manners. This clearly requires trust between the two people who are kneeling this way while facing each other.

- ☐ kneel in a formal manner　正座をする
- ☐ place emphasis on ～　～を強調する (=lay [put] emphasis on ～)
- ☐ inconvenient　形 不便な
- ☐ defenseless　形 守りにならない
- ☐ go numb　しびれる
- ☐ the Japan Seiza Association　日本正座協会
- ☐ It seems to be better if ～．　～したらよいと思われる。
- ☐ big toe　足の親指

But your feet go numb. This is not good, right?

An organization called the Japan Seiza Association proposes a proper way of kneeling that is less painful. You noticed I didn't say "painless." It seems to be better if you bend a little forward, while shifting your weight from one foot to the other sometimes, and overlap one big toe over the other.

日本人にまつわる "不思議"

日本の "アレ" を英語で言ってみよう！

「正座をする」
sit upright ; sit straight ; sit square

※「正座する」を説明的に表現すると、kneel in a formal manner や、kneeling with the tops of the feet flat on the floor and sitting on the soles などと言えます。

深掘り！JAPAN！

- 正座が好きな方や習慣としている方のための「正座倶楽部」という組織が存在しています。

- 正座はそもそも、神道における神、仏教における仏を拝むときや、**将軍にひれ伏す**（prostrate oneself before a shogun）場合にのみとられた姿勢でした。日常的には、武士も**茶人**（tea master）も女性も、基本的には**胡坐**（あぐら：sitting cross-legged）が普通でした。平安時代の正装、たとえば**十二単**（ジュウニヒトエ：a twelve-layered ceremonial kimono worn by a court lady）なども胡坐を前提に作られていました。

- 中国では春秋戦国時代に正座が正式な座り方でした。当時の中国では**股割れズボン**（open-crotch pants）を着用していたので、**体育座り**（sitting on the floor grasping one's knees）などをすると、**陰部**（the private parts）が見えて問題だったからです。その後、椅子などの普及で、正座はすたれました。

- 正座は辛いですが、日本では、辛いことを耐えようとする我慢強さが社会的に求められている側面があります。「苦行」という英語について考えてみましょう。
  - ▶ **asceticism**　苦行…………覚え方：アセティシズム ➡「焦って沈む」
  - ▶ **hedonism**　快楽主義……覚え方：ヒードゥニズム ➡「非道に住む」

  釈尊は苦行と快楽主義の間の**中道**（the Middle Way）の生き方を勧めました。

p.134 の日本語訳

😊 どうして日本人は、正式にひざまずくような習慣を長期間続けているの？　これは「正座」と呼ばれますよね。痛くないの？

😊 日本人は伝統的なものを守り続けることを重視するのです。正座は足も痛くなるし、時々、非常に不利な姿勢であるのは確かなのですが、自分を守るレベルを低いものにし、そのような守りにならない姿勢をとることが礼儀作法の出発点です。このような姿勢だと、お互いに向き合う間、このように正座する2人の間の信頼が明らかに必要ですね。

😊 でも足がしびれますね。これはよくないでしょ。

😊 日本正座協会という組織があり、あまりしびれない正座の正しい方法を提案しています。私は「痛くない」と言わなかったのに気付きましたね。時々重心を片方の足からもう一方へ移動させながら、ちょっと前かがみの状態でいて、一方の足の親指をもう一方に重ね合わせるとよいようですよ。

61 日本人の嫌いな数は？

◎1-61

Which number do Japanese hate?

I heard Japanese don't like certain numbers. Is this true?

We don't like numbers which have a negative association. Four, pronounced "*shi*" in Japanese, sounds like the word for death, and nine, pronounced "*ku*" in Japanese, sounds like the word for agony.

I heard you have a type of wedding toast called "*sansankudo*." This word has "*ku*" in it even though a wedding is supposed to be a happy occasion.

- ☐ have a negative association
  否定的なイメージがある
- ☐ agony 名 苦
- ☐ X is behind this.
  Xがこの背景にある（＝これについてはXが見え隠れする）。
- ☐ a positive number
  陽数
- ☐ the square of three
  3の2乗
- ☐ be doubly positive
  重陽となる
- ☐ loathsome
  形 嫌われる
- ☐ homonym
  名 同音異義語
- ☐ culturally significant
  文化的に意義深い

That's an excellent question. The Chinese philosophy of the Yin-Yang theory is behind this. According to this theory, three is a positive number, and nine, which is the square of three, is doubly positive and considered to be a lucky number. Even though some numbers may be loathsome because they are a homonym of an unlucky word, they can be culturally significant.

日本人にまつわる "不思議"

日本の "アレ" を英語で言ってみよう！

「三三九度」
a Japanese way of wedding toast

「陰陽説」
the Chinese Yin-Yang Theory；
the Theory of Yin and Yang

深掘り！JAPAN！

- 陰陽説とは、**森羅万象** (all things in the universe) を**陰** (Yin) と**陽** (Yang) に分ける中国起源の思想で、**諸子百家** (Hundred Schools of Thought) の1つである**陰陽家** (School of Naturalists) の中心思想となりました。この思想は**儒教** (Confucianism) や**道教** (Taoism) に取り込まれ発展しました。

- 陰陽説は、儒家の五経 (Five Classics) の1つである「**易経** (The Book of Changes)」で重要な考え方です。

- 諸子百家とは、中国の**春秋戦国時代** (the Spring and Autumn period and the Warring States period) [BC770-BC221] に起こった思想集団で、**儒家** (School of Confucians)、**道家** (School of Taoists)、**法家** (School of Legalism)、**墨家** (School of Mohism) [= 墨子 (Mozi) による**博愛主義** (philanthropism) を中心理念とする]、**名家** (School of Names) [= 一種の**論理学** (logic) を説いたので School of Logicians と言うとわかりやすい] などがあります。

  ※ 博愛主義の philanthropism は、〈phil (好き) + anthorop (人) + ism (主義)〉と分析でき、博愛主義者は philanthropist で〈phil (好き) + anthorop (人) + ist (主義者)〉からなる

- 春秋戦国時代に、森羅万象が5つの**元素** (element) で成立しているという**五行説** (Five Element Theory) と陰陽説が結びつき、**陰陽五行説** (the Theory of Yin-Yang and the Five Elements) が成立しました。

- 日本にも陰陽説が陰陽五行説の形で入ってきて、独自に**陰陽道** (Way of Yin and Yang) が発達しました。これを**呪術** (occult art) として扱う専門家としての**陰陽師** (Japanese exorcist) がかつて活躍しました。

p.136 の日本語訳

😀 日本人には嫌いな数字はあると聞きましたが本当ですか？

😀 一般に数字の発音がマイナスイメージのものを表す数字は嫌われます。「シ」の発音で死を連想する「四」や、「ク」の発音で苦しみを連想する「九」は嫌われますね。

😀 でも結婚式の「三三九度」というのがありますが、めでたい席なのに「九」が出てきますよ。

😀 なかなか鋭い質問ですね。これは陰陽説という中国の哲学の影響で、陽の数である「3」の二乗である「9」は重陽といってとてもめでたい数だからです。不吉な単語と発音が同じであっても、文化的に重要な数であるということはあるのです。

62 なぜ日本人は血液型の話をするの？

🔊 2-01

Why do Japanese talk about blood types?

We rarely talk about blood types except when we undergo an operation or get married, for which we have our blood types checked. What makes Japanese so interested in blood types?

We're so interested that we even have blood type fortune-telling. We often talk about our blood types. Because Japan is a mostly homogenous country, it is not regarded as discriminatory to distinguish people based on blood types. This may be part of the reasons for talking about them.

Japanese people like fortune-telling in general, don't you? It's not hard to imagine why blood type fortune-telling became popular.

You could say that. Blood type fortune-telling boomed in the 1970's, and in the 1980's personality tests by blood type became popular. There were also many TV specials about this topic in the 2000's.

- ☐ rarely ～
  副 めったに～しない
- ☐ undergo
  動 経験する
- ☐ fortune-telling
  名 占い
- ☐ homogenous
  形 同種の
  (=homogeneous)
- ☐ discriminatory
  形 差別的な
- ☐ distinguish
  動 区別する
- ☐ in general　概して
- ☐ It's not hard to imagine why ～.
  ～する理由は容易に想像できる。
- ☐ personality test
  性格診断

日本人にまつわる "**不思議**"

日本の"アレ"を英語で言ってみよう！

「星占い」
astrology

※「占星術師」は an astrologer

「血液型占い」
blood type-based fortune-telling

「手相占い」
palmistry; palm reading

※「手相見」は a palmist

「姓名判断」
onomancy; name writing-based fortune-telling

深掘り！JAPAN！

- **多民族国家**（multiracial country）は、民族により**血液型分布**（blood type distribution）が異なるので、血液型トークが差別に繋がりやすい。

- 血液型と性格が関係あるという**血液型占い**（blood type-based fortune-telling）では、おおむね次のようなことが言えるということです。

血液型	代表的な性格
A型	気配り (considerate)、勤勉 (industrious)、几帳面 (methodical)
B型	マイペース (go one's own way)、楽天的 (optimistic)、柔軟 (flexible)
O型	目的志向 (target-oriented)、ロマンチスト (romanticist)、話し好き (talkative)
AB型	合理的 (rational)、博識 (well-informed)、繊細 (sensitive)

※「マイペース」は和製英語。「彼女はマイペースだ」は She goes her own way. や She is her own person. や She does things her own way. や She does things at her own pace. などと表現することができます

p.138 の日本語訳

😀 我々は手術や結婚の時に血液型を調べるぐらいで、血液型が話題になることはありません。日本人はなんで血液型に関心があるの？

😀 血液型占いがあるぐらい興味があり、血液型に関するトークは多いです。日本はほぼ単一民族国家だから、血液型に関するトークが差別のようには受け取られないので、これが血液型の話をする理由の1つかもしれませんね。

😀 また、日本人は占いが結構好きなので、その流れで血液型占いも好きなのかな？

😀 そうとも言えますね。血液型占いブームは、1970年代から起こり始め、1980年代には血液型による性格診断が広がり、2000年代にはテレビで特集されることが多くなりました。

63 日本人は食べ物にこだわるの？

Do Japanese revere food?

2-02

— Does eating mean a lot to Japanese? Many TV shows seem to feature food, don't they?

— Japanese are very meticulous when it comes to food. From our fascination of seasonal foods to the careful way items are arranged before eating, you can tell we revere the preparation and eating of foods.

— Japanese seem to be good at finding new ways of using what they already have instead of coming up with new ideas.

— I agree, we are known to be highly innovative. For example, we took Chinese ramen and managed to come up with popular ramen with its own unique tastes as B-grade reasonable dishes. We also took Indian curry and put our own spin on it to create Japanese curry, a food that is popular in this country.

- revere 動 崇拝する
- feature 〜 動 〜を特集する
- meticulous 動 こだわる
- fascination of seasonal foods 季節感
- B-grade reasonable dishes B級グルメ
- put one's own spin on 〜 〜に独自の持ち味を加える（ひと工夫する）

日本人にまつわる "不思議"

日本の "アレ" を英語で言ってみよう！

「日本化」
Japanization

「日本化する」
Japanize

「日本食」
Japanese food; Japanese cuisine
（＝和食）

「和牛」
Japanese cattle

「国産牛」
domestic cattle; domestically grown cattle; domestically produced beef

※たとえ外国の牛であっても、日本で飼育されたものは国産牛となる。

深掘り！JAPAN！

- 世界の多くの国で、言語の基本音である「マ」が母親を表すのに、日本の場合だけ「まんま」は食べ物を表します。こんなところにも日本人の食へのこだわりが出ているのかもしれません。

- 世界へ領土を広げ、**植民地政策**（a colonial policy）をとったイギリスやアメリカは食へのこだわりはそれほどありません。日本は世界から学ぼうとした歴史的経緯（**遣隋使**［official delegation to Sui Dynasty］や**遣唐使**［official delegation to Tang Dynasty］、明治期の**西洋化**［Westernization］、戦後の**アメリカ化**［Americanization］）があり、世界から学んだものを日本的に発展させてきました。

- 大川ミサヲさんは1898年（明治31年）3月5日生まれで、2015年（平成27年）4月1日に亡くなった世界最高齢（116歳）の方でした（ちなみに人類史上最高齢はジャンヌ＝ルイーズ・カルマンというフランス人女性で122年と164日間生きた）。食生活を中心とした生活習慣のあり方（**腹八分目**［eat in moderation］を心がけるとか、定期診断を受けるとか）が、日本の肥満率を低く（3.5％、イギリスでは25％）し、長寿に貢献しています。

---

p.140 の日本語訳

😊日本人は食べることを重視しているのですか。テレビ番組でグルメを中心とした番組が多いですね。

😀日本人は食へのこだわりが結構あります。日本料理の季節感と器と盛り付けを見ていると、食の準備と食べることの両方を重視しているのが分かります。

😊日本は、新しいものを作るよりも、古いものを用いる新しい方法を発見することが得意みたいですね。

😀そうですね。もともと中国からはいったラーメンを日本独自のB級グルメとして独自の味の人気ラーメンを開発したり、インドのカレーにひと工夫加え、国民食のカレーを生み出したりしていますね。

64 日本人は普段何時に夕食を食べるの？

2-03

What time do Japanese usually ear dinner?

> What time do Japanese usually eat dinner?

> It depends on each individual and on their occupations. Most eat between 7 p.m. and 9 p.m., which is my guess. As for company employees, they often have dinner late and stick around to drink with colleagues rather than go home early to eat. It's rare that the whole family can eat dinner together.

> You often don't eat dinner with the whole family? This seems sad.

> One survey found that 11.4% of families eat together nightly. Approximately half of all families don't eat together. One reason may be that young and old are active at different times of the day.

- ☐ stick around
  うろうろする
- ☐ colleague　名 同僚
  (=co-worker)

- ☐ nightly　副 毎晩

日本人にまつわる "不思議"

日本の "アレ" を英語で言ってみよう！

「外食する」
eat out

「バイキング料理（= 食べ放題）」
smorgasbord;
all-you-can-eat

「バイキングの店」
a buffet-style restaurant offering as much as one can eat for a fixed price
（一定額で好きなだけ食べ物を提供するビュッフェ形式の店）

深掘り！JAPAN！

- 学生はクラブや**バイト**（part-time job）があるため、家から通う学生でも家族そろって食べることは非常に少ないのです。

- 西洋では、決まった挨拶の言葉はありません。通常、食事が来たら、そのまま食べてよい文化だからです。

- 西洋でも、お客さんを招いて皆で食事をする場面では、食事がそろってから、一斉に食べることがマナーとなります。その場合は、ホスト側が、Did everyone get their food? Let's eat!（揃いましたか？さあ食べましょう）や、The food is ready. Let's dig in!（ご飯ができましたよ。さあ召し上がれ）のように声をかけます。
  ※ dig in は俗語で「食べる」の意味なので、フォーマルな場所では避けるべき

- 西洋では「ごちそうさま」に相当する言葉もないので、通例、「おいしかった」と言えばよいでしょう。たとえば、That was good/delicious!（おいしかった）や、That was great/excellent!!（非常においしかった）など。
  ※ ホストに対しては避けるべきだが、まずかった場合の表現としては、That was a bit bland.（ちょっと味が薄かった）や That was awful.（ひどいかった）などの表現がある

- 満腹を表明する表現は、I'm done. や I'm full. や I'm stuffed. あたりを使います。たとえば I'm stuffed や I can't eat any more. なら「おなかが一杯で、もう食べれません」の意味です。

p.142 の日本語訳

😊日本人は普通、何時頃に晩ご飯を食べるの？

👶人によりますし、職業にもよります。でも午後7時〜9時の間が多いです。私が思うにはね。会社員の場合は、家に早く食べに帰るよりも、遅い時間に夕食を食べ同僚とお酒を飲むことになることが多いので、そんな場合は家族そろって食べることはあまりありません。

😊家族そろって晩ご飯を食べないことが多いのですか。悲しい感じですね。

👶ある調査では、11.4％が毎晩一緒に食べるという結果になっています。約半数の家庭は一緒に食べない状況です。同じ家でも、若い世代とその親の世代で生活時間が異なっていることが主な原因でしょう。

4章

65 日本人が好む色は？

2-04

Which color do Japanese like most?

Which color do Japanese like most?

That depends on each person. Basically Japanese don't like primary colors. We have attached importance to "wabi sabi" since ancient times, which has an influence on this. Simple and quiet colors, rather than loud and flashy colors, appeal to the Japanese sense of beauty.

Can you give me some examples?

It's said that during the Edo period there were forty-eight shades of brown and one hundred shades of gray as is evident in the saying "forty-eight browns and one hundred grays." Even today Japanese lean towards browns and grays rather than other colors. Also, as white suggests being free of filth, Japanese inclined toward Shinto beliefs may like the color. For example, you can see many white cars driving around Japan.

- primary color　原色
- attach importance to ～　～を重視する
- have an influence on ～　～に影響を与える
- loud and flashy color　派手でけばけばしい色
- shade 名 色合い
- "forty-eight browns and one hundred grays"　「四十八茶百鼠」
- lean towards ～　～を好む傾向がある
- free of ～　～がない
- inclined toward ～　～に傾倒する

日本人にまつわる "不思議"

深掘り！JAPAN！

- **イスラム教の国々**（Islamic nations）では、**オアシス**（oasis）を暗示する緑が好まれます。緑が国旗に取り入れられ、太陽を暗示するロゴはなく、月と星がモチーフとなります。
- アフリカでは、自分たちの肌の黒、自然の緑、富と繁栄の黄、戦いの赤が好まれます。
- 赤は太陽の色だと感じる日本人は、赤が好きな民族かもしれません。アマテラスの神話をもつ国だからです。実際、デザインの分野での**理想的な配色**（idealistic color scheme）は、コーラのデザインと言われます。
- 日本人は白も好きで、これは**白人崇拝**（yearning for Westerners）の要素もあるのでは？と思ってしまいますが、めでたい赤と神聖な白の組み合わせが最高の組み合わせとなります。茶色は「明度の低い赤」だから好まれるのでしょう。
- 日本人が白を好む傾向について、This was discovered while psychologists were comparing countries as part of their research.（心理学者による国際比較研究でわかったことのようですよ）などと言うといいでしょう。

CHECK 「原色」という日本語はあいまい？

「原色」は3つの意味で使われています。表にまとめて示しましょう。

意味	その英語
基本色	a primary color
派手な色	a garish color; a loud color; a flashy color
元の色	the original color

「三原色 (the three primary colors)」というときは、「基本色」の意味です。「原色のX」などというとき、たとえば「原色の服」というときは、「派手な色」を暗示する garish clothes となります。「原色に忠実な」等の用例では、faithful to the original colors となり、「元の色」の意味で使われます。

p.144 の日本語訳

😀 日本人が最も好む色は何色ですか。
🙂 それは人によって異なりますが、基本的に、日本人は原色を好みません。これは古来「わびさび」を重視することが影響していると思います。派手な色やきらきらした色ではなく、質素でおとなしい色に美意識を感じます。

😀 たとえばどんな色ですか。
🙂 江戸時代には「四十八茶、百鼠」といって、48種類の茶色、100種類の鼠色があったと言います。今でも他の色より茶色やグレーが好まれる傾向がありますね。また白はケガレがないことを暗示するので、神道的な日本人は好みます。例えば白い車は日本中結構走っていますね。

66 日本人の起源は？

2-05

Where did Japanese come from?

> Where did Japanese people come from?

> This is an interesting, yet difficult question. The established theory held that the Jomon people, who were of the southern Mongoloid race, inhabited Japan first, and were then later joined by the Yayoi people, who were of the northern Mongoloid race. Current Japanese are a mix of the two. The remaining people from southern Mongolia who didn't breed with the Yayoi became today's Ainu people.

- established theory 定説
- Mongoloid 名 モンゴロイド
- inhabit 動 ～に住む
- breed with ～ ～と混血する
- be based on ～ ～に基づいている
- gain ground 有力となる
- Lake Baikal バイカル湖
- the Republic of Buryatia ブリアート共和国 (バイカル湖の東から南に位置するロシア連邦に属する国)
- rely on ～ ～に頼る
- genetics 名 遺伝学

> You said "held". Does that mean it hasn't been proved?

> This theory is based on the study of the bone structure of our ancestors, but recently a new theory is gaining ground that the Japanese descended from a race of people that originated near Lake Baikal in the Republic of Buryatia. The new theory relies on the study of genetics.

日本人にまつわる "不思議"

深掘り！JAPAN！

- 新しい説は遺伝学の知見ですが、この説によると、縄文人は南方モンゴロイドではなく北方モンゴロイドということになります。次のように英語で説明できます。

  The new theory postulates that the Jomon people came from northern Mongolia, not southern Mongolia.

  （新説では、縄文人は北方モンゴロイド起源であり、南方モンゴロイドではないと、[自明なこととして] 仮定している）

  □**postulate** 動（自明なこととして）仮定する

- 新しい説は**考古学**（archaeology）からも支持されてきています。その根拠は、**細石刃文化**（microblade culture）の技術がバイカル湖周辺から伝播してきたものと考えられるからです。

- 一般に、2ヵ所に1つの技術が発見された場合は、2つの可能性があります。1つは**同時発生**（simultaneous occurrence）、もう1つは伝播（一方から他方へ伝えられた）。後者の説をとれば、バイカル湖起源説が成立するのです。

- 最近の遺伝子研究によると、母親からのみ遺伝する「ミトコンドリア DNA」を検査し、母方の家系をたどると、「**ミトコンドリア・イブ**」（mitochondrion Eve）と言われる**女性1人にたどりつく**（traced back to only one woman）と言います。そして、今の世界の人々は、約35人の母親の子孫であることが分かっており、日本人は95％が9人の母親の子孫らしいことが分かっています。

only の語法

□ only one child	たった1人の子供	□ only the child	その子だけが〜
□ only a child	（〜は）単なる子供だ	□ the only child	（〜できる）唯一の子
□ an only child	ひとりっ子		

---

p.146 の日本語訳

😊 日本人はどこから来たの？

🧑 これはなかなか興味深いけれど難しい質問ですね。定説は南方モンゴロイド系の縄文人が先住民で、そこへ北方モンゴロイド系の弥生人が入って、混血し日本人が形成されたとなっていました。弥生人と混血しなかった南方モンゴロイドが、今日のアイヌ人とされています。

😊「なっていました」って、じゃあ（定説が）証明されてないってこと？

🧑 定説は骨の構造の視点からのものでしたが、最近は遺伝学の視点から、日本人の祖先はブリアート共和国のバイカル湖畔あたりとする説が有力になっています。この新説は遺伝学に頼っています。

> **お役立ちコラム④**

日本の仏教　ちょっと意外な2つの話

閻魔 (Yama) について

　閻魔は「地獄の王 (the King of Hell)」というように説明したりしますが、閻魔天という天の世界の住人です。死後の世界において、死者を裁き、管理する役割を持ちます。

　中国で**十王思想 (Ten-King Group)** が起こり、死後の世界において、死後何日後および何年後の死者をさばく十人が決まっています。それぞれが如来や菩薩や明王の**化身 (incarnation)** です。閻魔は五七日（＝三十五日後）の死者を裁きます。

- **incarnation**（化身）◀〈in（成る）＋ carni（肉に）＋ tion（こと）〉
- **reincarnation**（転生）◀〈re（再度）＋ in（成る）＋ carni（肉に）＋ tion（こと）〉

7日後	秦広王	＝	不動明王	42日後	変成王	＝	弥勒菩薩
14日後	初江王	＝	釈迦如来	49日後	泰山（府君）王	＝	薬師如来
21日後	宋帝王	＝	文殊菩薩	100日後	平等王	＝	観音菩薩
28日後	五官王	＝	普賢菩薩	1年後	都市王	＝	勢至菩薩
35日後	閻魔王	＝	地蔵菩薩	2年後	五道転輪王	＝	阿弥陀如来

仏像ののどの少し下にある水平な3本の皺 (three horizontal wrinkles) の意味

　この3本の線は、108の計算で出てきた6つの悪い心の最初の3つ、これを三毒と言います。修行中の釈迦を苦しめた3つの煩悩を、あえてのどに刻んだと考えられています。三毒とは**貪 (avarice)**・**瞋 (anger)**・**痴 (stupidity)**です。

- その1　好きなものにはまってしまうこと＝貪（とん）
- その2　嫌いなものを排除してしまうこと＝瞋（しん）
- その3　上記の2感情をつかさどる愚かさ＝痴（ち）

　これら3つが煩悩の代表で、これを抑える努力だけで、悟りへの道は近くなります。そのことをしっかり教える意味で、3つの皺があるのです。

5章

日本語にまつわる "不思議"

この章では、言葉遊びや若者言葉、カタカナとひらがなと漢字…など、その独特さや独自性などから、なかなか英語で説明しづらいことも多い「日本語」がテーマです。よく尋ねられる10の「？」について、取り組んでみましょう。

テーマいちらん
ルーツ／言葉遊び／若者言葉／青信号／文字の種類／数え方／"ちょっと"／5円玉／キラキラネーム／ゆるキャラ

67 日本語のルーツは？

2-06

What language is Japanese most similar to?

― What language is Japanese most similar to?

― Japanese is regarded as an isolated language that belongs to no language family, branch, or group.

― Then, it is comparable to the Basque language of Europe.

― An isolated language is not the same as an isolating language, in which words don't change. A good example of an isolating language is Chinese. Languages with much declension and conjugation are called inflectional languages and typical of them are many of the European languages such as German. Japanese is classified as an agglutinative language, a language in which affixes can be attached to words.

- isolated language 孤立言語
- language family 語族
- language branch 語派
- language group 語群
- comparable to ～ ～に匹敵する
- the Basque language of Europe ヨーロッパのバスク語
- isolating language 孤立語
- declension 名 語形変化；屈折（名詞・代名詞・形容詞の数・性・格による変化）
- conjugation 名 動詞や形容詞の活用
※ declension と conjugation を合わせて、一般的に述べた表現が inflection（屈折）である。
- classify 動 分類する
- agglutinative language 膠着語
- affix 名 接辞
※ affix には prefix（接頭辞）と suffix（接尾辞）がある。

日本語にまつわる **"不思議"**

日本の "アレ" を英語で言ってみよう！

日本語の品詞は全部で10個あります。表にまとめましょう。

自立語	活用するもの	用言	動詞 verb
			形容詞 adjective
			形容動詞 adjective verb; quasi-adjective
	活用しないもの	体言	名詞 noun
			連体詞 pre-noun adjectival
			副詞 adverb
			接続詞 conjunction
			感動詞 interjection
付属語	活用するもの		助動詞 auxiliary
	活用しないもの		助詞 postpositional particle

深掘り！ JAPAN！

- 孤立言語（an isolated language）と孤立語（an isolating language）は違います！ 同系統の言語のない言語を孤立言語と呼び、語形変化を持たない言語を孤立語と呼びます。

- 日本語は孤立言語ですが、孤立語ではありません。というのは、**助詞**（a postpositional particle of Japanese）をつけて単語を変化させることができるからです。このような言語を**膠着語**（an agglutinative language）と言います。ヨーロッパのような単語自体が変化する言語は**屈折語**（an inflectional language）と言います。

- 孤立言語は、日本語の他に、有名な言語としては、次のようなものがあります。言語名の直後は、話されている地域を示しています。

アイヌ語	Ainu languages	※日本・北海道 （危機にひんする言語）
バスク語	Basque language	※フランスとスペインの間のピレネー山脈（Pyrenees）
朝鮮語	Korean language	※韓国、北朝鮮、中国の吉林省

p.150 の日本語訳

😊 日本語は何語に近いの？
😊 日本語は孤立言語とみなされていて、世界のどこの語族・語派・語群にも属さないのです。
😊 じゃあ、ヨーロッパで言うと、バスク語に匹敵しますね。
😊 「孤立言語」は、単語が変化しない「孤立語」とは違います。孤立語の代表は中国語です。単語が格変化・比較変化や動詞の活用をもつ言語は「屈折語」と言い、ドイツ語などヨーロッパの言語の多くが代表的ですね。日本語は「膠着語」に分類され、単語に接辞（＝助詞）などをくっつける言語です。

68 どんな言葉遊びがあるの？

2-07

What kind of wordplay do you have in Japan?

There are many tongue twisters in English. How about Japanese?

We have many too. Among the English tongue twisters that I like is "Betty bought a bit of butter but the butter Betty bought was a bit bitter, so Betty bought a bit of better butter to make the bitter butter better butter."

- ☐ tongue twister
  早口言葉
- ☐ wordplay
  名 言葉遊び（=a play on words）
- ☐ phonetic symbol
  発音記号（＝仮名）
- ☐ relatively
  副 相対的に
- ☐ numeral 名 数字
- ☐ pun 名 語呂合わせ
- ☐ afterwards 副 後で
- ☐ syllable 名 音節

Do you have any wordplay that is unique to Japan?

We have *Iroha-uta*, which is made up of all the Japanese phonetic symbols used just once. It is relatively easy because there are many one-letter or two-letter words in Japanese. Also, in Japanese each numeral can be read more than a few different ways, so we can produce a lot of puns. This is often used as a casual method of memorizing the year of a historical event. For example, to memorize the year of 1549, in which Christianity came to Japan, we may say "*igoyoku hiromaru* Christianity," which means "Christianity spread widely afterwards." "*I-go-yo-ku*" is made up of the syllables for 1, 5, 4, and 9 respectively.

日本語にまつわる"不思議"

深掘り！JAPAN！

- 日本語の**早口言葉**（tongue twister）で難しいものの例として、「バスガス爆発」や「隣の竹垣に竹立てかけたかったから竹たてかけた」などがあります。
- 日本の「いろはうた」に対して、アルファベット26字全てを1つずつ使った文は創作困難ですが　Mr. Jock, TV Quiz PhD, bags few lynx.（テレビクイズ博士のジョック氏はオオヤマネコをほとんど袋に詰めない）が知られています。
- **円周率**（pi）を日本語はごろ合わせで、英語は文字数で覚える
  英語：How I wish a drink, alcoholic of course, after the heavy lectures regarding quantum mechanics!（＝飲みたいものだなあ、勿論アルコールの奴、あの重苦しい量子力学に関する講義の後ではね…。）
  日本語：3．14159265358979323846264338 3279…
  　　　　身1つ世1つ生くに無意味曰く泣く身に御社に虫サンザン闇に泣く…
- **回文**（palindrome）
  英語：Was it a cat I saw?（それは私が見た猫ですか）
  日本語：「世の中ね、顔かお金なのよ！」
  　　　　「長き夜の遠の眠りの皆目覚め、波乗り船の音のよきかな」
- **あいうえお作文**：英語教師は TEACHER で七者！
  T：Translator　　訳者＝英語と日本語を橋渡しする
  E：Entertainer　 役者＝楽しい雰囲気を持つ
  A：Astrologer　　易者＝生徒の将来を占える
  C：Caretaker　　 侍者＝生徒の面倒をみる
  H：Holy person　 聖者＝生き方の鏡となる
  E：Enthusiast　　猛者＝熱心に指導する
  R：Researcher　　学者＝真理を追究する

---

p.152 の日本語訳

😊早口言葉は英語でも豊富にあるけど、日本語はどう？

😊多いですよ。私が好きな英語の早口言葉の中には「ベティは少しバターを買ったがベティが買ったバターは少し苦かったので、ベティは苦いバターを良いバターにするために少し良いバターを買った」があります。

😊日本語特有の言葉遊びにはどんなのがあるの？

😊日本語の仮名の全ての文字を1回ずつ使ういろは歌があるよ。日本語は1文字や2文字の単語も多いので、比較的簡単に作れます。また、日本語では数字も複数の読み方があるので、ごろ合わせも楽。歴史的事件の年代を覚えるのによく使う。例えば、キリスト教伝来の1549年を覚えるのに「以後よく広まるキリスト教」があり、「イゴヨク」は1549の音節（＝音）で出来ていますよ。

5章

69 語尾が「る」の動詞は、若者たちが作り出すの？ 2-08
Do youngsters create "ru"-ending verbs?

I think youngsters everywhere have their own unique take on language. Young Japanese make new verbs by adding "*ru*" to the end of many words. What does "*gasuru*" mean?

"*Gasuru*" means to go to a restaurant named Gasuto, or in English, gusto. Similar examples are "*makuru*" meaning to go to Mcdonalds, "*sutabaru*" meaning to go to Starbucks, "*saizeru*" meaning to go to Saizeriya, and so on.

Young people have a talent for creating new words and phrases, don't they?

I'm in the mood for some coffee. I will "*dotoru*," or go to a Doutor Coffee shop.

☐ have one's own unique take on 〜
〜に対して独自の見方をする

☐ gusto
名 趣味；大きな楽しみ

☐ have a talent for Ving
〜する才能がある

☐ in the mood for some coffee
ちょっとコーヒーを飲みたい気分

日本語にまつわる "不思議"

深掘り！JAPAN！

- 若者が使う、「る」で終わる動詞の一例
  - □ ディスる（＝けなす；侮辱する）　disrespect ～ ; look down on ～
  - □ パニクる（＝パニックになる）　panic; become panicky
  - □ タクる（＝タクシーを利用する）　take a taxi
  - □ ググる（＝グーグルで検索する）　Google ～
  - □ ボコる（＝ボコボコに殴る）　beat the hell out of ～
  - □ きょどる（＝挙動不審になる）　behave suspiciously

- 自分がパニックに陥り、「パニクったよ」と英語で表現したいとき、I was panic. ではなく I panicked. とします。panic は動詞で使え、ed をつけると過去形になります。「ク」の発音が出せるように、つづりが変化して、panicked とします。

- 「ググる」は「Googleで調べる」の意味ですが、Google it.（それをググってみて）が可能です（Googleは動詞で使えるのです）。search for ～ using the Google search engine の代わりに Google という動詞が可能なわけです。

- 若者言葉の特徴
  ①尻あがりイントネーション　　例「それでぇ↑」「でゆうか↑」
  ②中途半端な疑問文的表現　　例「私ってコーヒー好きじゃないですか」
  ③省略表現の多用　　例「マジ」「きしょい（＝気持ち悪い）」「はずい（＝恥ずかしい）」
  ④強調接頭辞の多用　　例「超～」「バリ～」「おに～」
  ⑤逆さ言葉の発明　　例「ザキヤマ（＝山崎）」「まいう（＝うまい）」
  ⑥アルファベットの頭文字語　　例 JK（＝女子高生）　MM（＝マジムカつく）
  ⑦「名詞またはその省略形＋る」の動詞の発明　　例「チャリる（＝自転車で行く）」
  ⑧「形容詞・副詞＋（っ）す」の動詞の発明　　例「やばいっす」

- 「やばい」は元来マイナスイメージの言葉であったが、食べ物など「おいしい（⇒勧めるよ）」の意味に使う若者が増えて、意味が2重になっています。たとえば「あそこのラーメン、鬼ウマで、まじやばいっすよ（＝あそこのラーメンは非常においしくて、本当にお勧めですよ）」のように使います。

---

p.154 の日本語訳

😀 どこの若者も言葉に対し独自の見方をするものだと思うけど、日本の若者が「る」をつけて動詞を作っていますね。「ガスる」ってどういう意味ですか？

😀 「ガスる」は「ガスト」という店に行くことを意味します。他に「マクる」で「マクドナルドに行く」、「スタバる」で「スターバックスに行く」、「サイゼる」で「サイゼリアに行く」などいろいろありますよ。

😀 若者はすごい造語能力を持っていますね。

😀 私はコーヒーを飲みたくなったので、「ドトる」ことにします。

5章

155

70 なぜ緑なのに青信号と言うの？

Why is the green traffic light referred to as blue?

Why is the green traffic light referred to as blue by Japanese?

In ancient Japan there were only four colors expressed in language: red, blue, white, and black. It is evident that these colors were the fundamental colors when you look at how they are used as adjectives; they are the only colors that can become adjectives if you add the Japanese "I" sound at the end of the word.

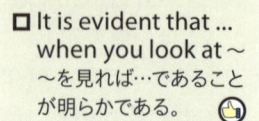

Does this mean that because people felt green looked similar to blue, it was called blue?

Yes. All the colors we call green and blue today were referred to as blue. That's why the character "ao," or blue, is used in "aoba," literally blue leaf; "aoringo," blue apple, or "aomushi," a blue caterpillar, though all these things are not blue. These are all recognized as being green at present, of course.

- It is evident that ... when you look at 〜
  〜を見れば…であることが明らかである。
- evident 形 明らかな
- adjective 名 形容詞
- Does this mean that because ..., 〜?
  …だから〜だということですか？
- recognize 動 認知する

日本語にまつわる "不思議"

日本の "アレ" を英語で言ってみよう！

「青葉」
green leaves; green foliage; fresh leaves

「青りんご」
a green apple

「青虫」
a green caterpillar; a cabbageworm

「青大将」
a blue-green snake; a Japanese rat snake; a common harmless snake

「青二才」
a green youth; an immature person; a callow young man; a greenhorn

深掘り！JAPAN！

- 国際照明委員会（**CIE**）が規定している信号の色は、赤、緑、黄、白、青の5色があります。**交通信号**（**traffic signals**）に使われるのは最初の3色。白と青は**航空信号**（**aircraft signals**）に使われます。

- 紅白とか白黒と言いますが、これらは厳密には**対照的**（**contrastive**）でありません。青と白が反対の関係、赤と黒が反対の関係です。
  - ▶ 青（淡い）⇔白（著しい）…鮮やかさ。**彩度**（**intensity**）
  - ▶ 赤（明るい）⇔黒（暗い）…明るさ。**明度**（**luminosity**）
  - ※（ ）内の日本語は関連する単語。「著しい」という現代語は「著し［＝しるし］」という言葉からきており、「しろ」の語源も「しるし」と関係があります。

- 上記の4色に黄色を入れて、五色となります。中国の**陰陽五行説**（**Yin-Yang Five-Element Theory**）では、青、赤、黄、白、黒が宇宙を構成する色ということになります。

- 信号機の色は、左から青・黄・赤の順ですが、これには意味があります。道路わきの看板や木の枝などで信号機が隠れた場合でも、できるだけ赤は見えるようにするためです。また信号機が雪の重みで倒れないよう、縦型の信号機が雪国で多いですが、この信号機は上から赤・黄・青の順になっています。これは、雪が積もっても上の赤だけは見えるようにとの計らいです。とにかく、一番大事な赤だけは見えるようなっているのです。

p.156 の日本語訳

😊 なぜ緑色の信号を日本人は青信号というの？

😊 日本は古来、言語上、赤・青・白・黒の4色しかありませんでした。この4色が基本であることが明白なのは、語尾に「い」をつけて形容詞になるのがこの4色だけである事実からも分かりますね。

😊 ということは「緑」は「青」に近いので「青」と呼ばれていたということ？

😊 そうです。現在の緑から青までを全て「青」で表現していました。だから、「青葉」、「青りんご」、「青虫」とか実際に青でないものまで、青という文字が使われています。もちろん、これらは現在、全て緑と認識されています。

5章

71 なぜ文字の種類が3つあるの？

2-10

Why three different systems of writing?

Why does the Japanese language use three different systems of writing?

You mean hiragana, katakana, and kanji? Hiragana are used to represent classical Japanese, which is the words or phrases native to Japan. Katakana represent loan words and phrases taken from foreign languages. Kanji are Chinese characters used to express words that were brought to Japan about 1,500 years ago.

- ☐ native to ~ 〜に土着の
- ☐ loan word 外来語
- ☐ character 名文字
  ※「文字」でも表意文字は character、表音文字は letter と言う。
- ☐ the base 語根
- ☐ conjugation 名活用
- ☐ declension 名屈折
- ☐ ideographic character 表意文字
- ☐ phonetic letter 表音文字
- ☐ merge 動合成する
- ☐ completely different 全く異なる

But you can see both kanji and hiragana in some words.

That's right. As for verbs and adjectives, the base is written in Kanji and the conjugation or declension is written in hiragana. Kanji are ideographic characters, and hiragana and katakana are phonetic letters, which means the Japanese language uses a writing system merging two completely different styles of reading. This makes the Japanese language unique.

日本語にまつわる"不思議"

深掘り！JAPAN！

- 漢字とひらがなとカタカナの使い分け

  漢字が用いられる典型例
  - ▶ **名詞**（noun）（**漢語**（words of Chinese origin）が中心）
  - ▶ 動詞や形容詞の**語幹**（the stem of a word）
  - ▶ 日本人の人名（主に姓）や日本の地名

  ひらがなが用いられる典型例
  - ▶ 動詞や形容詞の活用語尾
    （**送り仮名**［kana added after a Chinese character］）
  - ▶ 難しい漢字の読み方を示す方法
    （**振り仮名**［kana to indicate pronunciation］）
  - ▶ **大和言葉**（words of Japanese origin）
  - ▶ 漢字で書くと難解になる言葉の表記

  カタカナが用いられる典型例
  - ▶ **外来語**（loan words）　▶ **擬音語**（onomatopoeia）　▶ **強調**（emphasis）
  - ▶ 科学用語（特に生物名）　例 ヒト、イヌ　▶振り仮名

- 日本語の文字を芸術的に書く「書道」（**calligraphy**）と他の芸術の比較

	相違点	共通点や関係性
文学	書道は視覚表象（visual representation） 文学は言語表象（linguistic representation）	どちらも作者の感情や思想を表現する
音楽	書道は空間芸術（an art of space） 音楽は時間芸術（an art of time）	書道は表現過程が時間的である
建築	書道は上から下へ構築する 建築は下から上へ構築する	実用性（practicality）がある
彫刻	書道は二次元的（two-dimensional） 彫刻は三次元的（three-dimensional）	書道にも刻字という立体的なものがある
絵画	書道は文字を素材とする［制約的］ 絵画は文字以外を素材とする［自由性］	ともに平面における芸術である

p.158 の日本語訳

😀 日本語はなぜ3種類の文字があるの？
🙂 ひらがなとカタカナと漢字のことですね？　ひらがなは日本固有の大和言葉を、片仮名は外来語を、約1500年前に日本に来た漢字は単語を表すのに用います。
😀 でも漢字とひらがなを両方とも使う単語もありますよね。
🙂 そうですね。動詞と形容詞は、意味の中心部分を漢字で、活用する語尾をひらがなで書きます。漢字は表意文字、ひらがなとカタカナは表音文字なので、まったく違った文字を1言語に使う日本語はユニークな言語です。

5章

159

72 数の数え方がなぜ2つあるの？

🔊 2-11

Why two ways of counting in Japanese?

> Are there two ways of counting? I ask this because I heard two ways of counting: One is "hi, fu, mi" and the other is "ichi, ni, san."

> Yes, actually, there are two. One is originally Japanese and the other is from China. "Hi, fu, mi" is the former and "ichi, ni, san," the latter.

☐ originally 副 元来

> I hear that there are some numbers that can be pronounced in two different ways. Both "shi" and "yon" represent four, don't they?

☐ in X different ways
X通りに

> On top of that, seven can be pronounced either "shichi" or "nana," and nine "ku" or "kyu." When counting up, it goes "ichi, ni, san, shi, go, roku, shichi, hachi, ku, ju." When it comes to counting down, though, some words change and it becomes "ju, kyu, hachi, nana, roku, go, yon, san, ni, ichi." You can see that three numbers are pronounced differently.

☐ count up
数え上げる
☐ count down
カウントダウンする

日本語にまつわる "不思議"

日本の "アレ" を英語で言ってみよう！

「忌み数」
numbers of bad omen

※四　発音が「死」を連想する (suggestive of death due to its pronunciation)
※九　発音が「苦」を連想する (suggestive of agony due to its pronunciation)

深掘り！JAPAN！

- 大和言葉の数字は、**倍数**(multiples)が同じ**子音**(consonant)を持っています。

　　ひ（Hi）　－　ふ（Hu）　　1×2＝2
　　み（Mi）　－　む（Mu）　　3×2＝6
　　よ（Yo）　－　や（Ya）　　4×2＝8
　　いつ（Itsu）－　とう（To）　5×2＝10
　　な（Na）　　　　　　　　　7
　　こ（Ko）　　　　　　　　　9

- 「**数え上げ**」（count up）と「**数え下げ**」（count down）で発音が異なる数字があります。
「いち、に、さん、**し**、ご、ろく、**しち**、はち、**く**、じゅう」
「じゅう、**きゅう**、はち、**なな**、ろく、ご、**よん**、さん、に、いち」
※太字の数字は読み方が異なることを示す。

- 漢数字を用いた珍名を紹介しましょう。

百百百百（とどもももひゃく）　※と(10)×ど(10)で100
一二三四五六七八九十郎（ひふみしごろくしちはちくじゅうろう）　※一二三は名字
野田江川富士一二三四五左衛門助太郎（のだえがわふじひふみしござえもんのすけたろう）　※日本一長い名前

---

p.160 の日本語訳

😀 数の数え方に2つあるの？「ひ、ふ、み」と「いち、に、さん」の2種類を聞いたことがあるから。

😀 そうです。確かに日本古来のものと中国由来のものの2つがあります。「ひ、ふ、み」は前者で、「いち、に、さん」は後者です。

😀 2つの発音を持つ数字があるんでは？「し」と「よん」が4を表しますよね。

😀 ほかに、7が「しち」と「なな」、9が「く」と「きゅう」の2つ読み方があります。数え上げると「いち、に、さん、し、ご、ろく、しち、はち、く、じゅう」が一般的なのに、10から数えて1までは「じゅう、きゅう、はち、なな、ろく、ご、よん、さん、に、いち」が自然ですが、3つの数字の発音が違うのがわかります。

73 "ちょっと" は little?

2-12

Doesn't "chotto" mean "a little"?

- Doesn't "chotto" mean "a little"?

- You can use "chotto" for a number of meanings. It can also mean "pretty." "Chotto odoroita" doesn't mean "a little surprised" but "pretty surprised."

- Wow! Chotto odoroita! What else does it mean?

- You can use it to call someone or draw someone's attention. As well it can be used to refuse an invitation. "Ashita wa chotto" can be interpreted as "I'm afraid I'm not available tomorrow."

☐ a number of ~ s
いくつかの〜
※ the number of ...s は「…の数」

☐ What else does it mean?
他にどんな意味があるのか？

☐ draw O's attention
Oの注目を引く

☐ interpret
動 解釈する

☐ available
形 手が空いている

Chotto odoroita!

162

日本語にまつわる "不思議"

日本の "アレ" を英語で言ってみよう！

「曖昧な」
ambiguous

「曖昧性」
ambiguity

「省略する」
omit; abbreviate

「省略」
omission; abbreviation [文法] **ellipsis**

※日本語は曖昧な言い方が多く、また、主語や語尾を省略する傾向がある。「明日はちょっと」は、「残念ですが、明日はちょっといけそうにありません」というニュアンス

深掘り！JAPAN！

- 「もうちょっと詳しく」などの「ちょっと」は、元来の「少し」の意味です。しかし、「少し」という言葉は「ちょっと」ほど、応用範囲は広くありません。

  △「明日は<u>少し</u>…」(断る表現) ➡「少し何ですか?」
  ✕「<u>少し</u>、切符を落とされましたよ！」(呼びとめる表現) ➡「？？？」

  このように、「少し」は断る場合には使いにくく、呼びとめる場合にはほぼ使われません。ちょっと驚いたことに、「少し」の意味はちょっとしかなく、文字通り「少ない状況」を意味します。「ちょっと驚いたことに」の「ちょっと」は「大変」の意味で、「少し」の意味とは違い、「ちょっとしかなく」の「ちょっと」は「少し」の意味です。

- 「ちょっと」という表現に、他に**義理だて (out of social obligation)** の用法「ちょっとだけ顔を出します (**I will show up for a short time**)」や意外を強調する用法「ちょっと考えられない事故だ (**it is a pretty incredible accident**)」などもあります。

- 「論文できた?」「ちょっと未完成なのですが…」「少しだけ未完成だね。じゃあ、ちょっと見せて」「いえ、ちょっとしか完成していません」「ちょっと、それでは困るよ」…これは、大学教員とゼミ学生との会話で「ちょっと」がちょっと多めに使用された実際の会話です。「少し」の意味の他、語調を和らげたり、語気を荒げたり、用法が多彩です。

5章

---

p.162 の日本語訳

😊「ちょっと」は a little の意味ではないの？
😊「ちょっと」はいろいろな意味で使えます。「かなり」の意味もあります。「ちょっと驚いた」は a little surprised の意味ではなく「かなり驚いた」の意味です。
😊へ〜。ちょっとおどろきですね。他にどんな用法があるの？
😊人を呼びかけたり、他人の注目を引きたいときに用います。誘いを断るときにも使えます。「明日はちょっと」というと、「残念ながら明日は空いていません」の意味に解釈されます。

163

74 なぜ5円玉だけ漢字表記なの？

🎧 2-13

Why is "5" written as a Chinese character?

Why does only the five-yen coin have its number written as a Chinese character while other coins have Arab numerals?

You've picked up on something quite intriguing! Of all the coins' images, that of a five-yen coin is the oldest. Back then when it was first manufactured, anything from the Occident, including numbers, was shunned and the Chinese character was used.

- ☐ Arab numeral アラビア数字
- ☐ intriguing 形 興味深い
- ☐ the Occident 西洋
- ☐ shun 動 避ける；遠ざける
- ☐ advent 名 出現
- ☐ the ear of rice 稲穂
- ☐ cog 名 歯車
- ☐ X shows a strong commitment to Y XはYとのかかわりを着実に示している。
- ☐ a highly industrialized nation 豊かな産業国

Why didn't Japanese change it to the Arab numeral later?

The image conveys the story of the advent of industrial development in Japan. The ear of rice represents agriculture, the cog in the center is related to the manufacturing industry, and the lines at the bottom depict the fishing industry. These depictions show a strong commitment to Japan being a highly industrialized nation and so it was decided to keep the coin the way it was originally rather than change it.

日本語にまつわる "不思議"

深掘り！JAPAN！

- **コインの表裏**（heads and tails）は法律で決められているわけではありませんが、**造幣局**（the Mint）では「年号が書かれている方が裏」としています。ですから、五円玉以外はアラビア数字が入っている方（＝年号が書かれている）が裏となります。

- 日本の歴史上、明治維新では西洋文化を積極的に導入しようとしていたのですが、その後、西洋からの言葉をそのまま受け入れるのが避けられた時期があります。だから本文で anything from the Occident ～ was shunned としました。

- この理由に、日本人の意識に、**ウチ**（in-mentality）と**ソト**（out-mentality）と**ヨソ**（away-mentality）の3つがあり、外国人が、日本人のヨソ意識の範囲に存在していたことが関係していると思われます。現在は、外国人は「外」という言葉が用いられているので明白ですが、「外の人」という意識になっています。外の意識を持っていると仮定すると、「現代の日本人が外国人に対し、気を使って、優しくもてなすこと」も説明できます。

✓CHECK ウチ、ソト、ヨソの意識

日本人は他者に対し、次の3つの意識を明確に持つと考えられている。

意識	誰に対する意識か？	どんな関係か？
ウチ意識	家族、友人、自分の会社など	carefree（気楽）な関係 甘えが生じる可能性あり
ソト意識	親戚、知人、顧客の会社など	careful（注意深い）関係 気を遣う必要性あり
ヨソ意識	全くの他人、付き合いのない会社など	careless（気にしない）関係

※ヨソ意識があることが、知人などに見られていない場合は、望ましくないこと（旅行先でごみを捨てるなど）をしてしまうことに繋がる。

p.164 の日本語訳

😊 五円玉に書かれた数字の「五」だけが漢字なのはなぜ？ そのほかのコインは全てアラビア数字で書かれているのに。

😊 非常に面白いところに気付きましたね。現在発行されている硬貨の中で、五円玉のデザインが一番古く、五円玉が初めて作られた当時は、西洋からのものは何でも避けており、それは数字も例外ではなく、漢数字が使用されたのです。

😊 でもその後、アラビア数字へと変更されなかったのはなぜでしょうね。

😊 五円玉のデザインは、日本の産業の発達が出現してくるという意味を込めたものです。稲穂は農業、真ん中の歯車は工業、下の複数の線は水産業を表します。これらの表現で、豊かな産業の国をアピールしているので、デザインをそのまま残したのでしょう。

75 キラキラネームって何？

What is the *Kirakira* name?

🎧 2-14

I often hear the phrase "*kirakira* name." What is this all about?

This refers to unusual names that catch people's attention lately. Let me give you some of them; "*Pikachu*" which is written as "光宙" in Chinese characters, "*Peko*," implying greeting, as "礼", "*Maazu*," in English Mars, as "火星", "*Naushika*," meaning now deer, as "今鹿", "*Akari*" as "月", "*Puh*" as "黄熊", and "*Doremi*" as "七音", to name just a few.

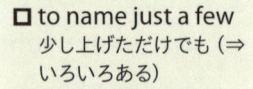

- ☐ to name just a few
  少し上げただけでも（⇒いろいろある）
- ☐ follow the Chinese way of reading kanji　音読みをする
- ☐ way too hard
  あまりにも難しい
- ☐ uncanny　形 奇怪な

If I follow the Chinese way of reading *kanji*, some names are way too hard to read.

Generally they are hard to read, yes. There are even more uncanny names than you can imagine. Among them are "*Samba*," meaning three waves, written "波波波", "*Mimimi*" written "美々魅", "*Rabuho*, which may mean a hotel that offers rooms to lovers and is written "愛保", "*Miira*," which sounds like a mummy and is depicted as "美依羅". So many people, so many names.

日本語にまつわる **"不思議"**

深掘り！JAPAN！

- キラキラネームランキング
  2015年上半期のキラキラネーム人気ランキング5位までは以下の通りでした。
  - ☐ 1位　苺愛（ベリーア）
  - ☐ 2位　皇帝（しいざあ）
  - ☐ 3位　黄熊（ぷう）
  - ☐ 4位　星凛（きらり）
  - ☐ 5位　唯愛（いちか）

- ユニークなキラキラネーム
  厳堕夢（がんだむ）/ ビス湖（びすこ）/ 男（あだむ）/ 大男（びっぐまん）/ 本気（まじ）/ 総和（しぐま）/ 凸（てとり）/ △ロー（みよいち）
  ※全国に1軒しかない珍しい名字に「男」（おとこ）があるが、「男男」が姓名になると「おとこ・あだむ」となる。

- 日本人の姓の数は約30万種で、世界第3位です。1位の国はアメリカで150万種、2位はイタリアの35万種です。

- 日本一多い姓は、2010年の1位が佐藤（200万人）、2位が鈴木（175万人）、3位が高橋（145万人）となっています。

- 世界では、李（中国、朝鮮、台湾、ベトナム「リ」、韓国「イ」）で、約1億人います。英語圏では Smith がトップで約300万人です。

- ユニークな名前の例（P.161 も参照）
  - ☐ 一二三四五六（ひふみ・よごろく）
  - ☐ 平平平平（ひらばやし・へいべい）
  - ☐ 水木金土（みずききんど）
  - ☐ 根本寝坊之助食左衛門（ねもと・ねぼうのすけくいざえもん）

- 珍しい名字
  - ☐「一」と書いて、二の前にあるので「にのまえ」さん。
  - ☐「十」と書いて、1つ、2つ…と数えて「つ」がないから「つなし」さん。

  ※「一一」が姓名なら「にのまえ・はじめ」となる。

> **p.166 の日本語訳**
>
> 😊キラキラネームって言葉もよく耳にします。一体これは何ですか。
>
> 😊近年注目されるようになった、一風変わった名前です。例えば、漢字で「光宙」と書いて「ぴかちゅう」、「礼」と書いて「ペコ」、「火星」と書いて「まあず」、「今鹿」と書いて「なうしか」、「月」と書いて「あかり」、「黄熊」と書いて「ぷう」、「七音」と書いて「ど
>
> れみ」などいろいろあります。
>
> 😊そのまま漢字を音読みしたら、難しすぎて読めないものがありますね。
>
> 😊一般に難読ですね。もっと不思議な名前もあります。「波波波」と書いて「さんば」、「美々魅」と書いて「みみみ」、「愛保」と書いて「らぶほ」、「美依羅」と書いて「みいら」。人により名前も様々ですね。

5章

167

76 「ゆるキャラ」って何？

2-15

What is *Yuruchara*?

- Recently I often hear the word "Yuruchara." What does that mean?

- *Yuruchara* are characters that the local governments and companies use for promotion and advertising purposes. It's an abbreviation of "*yurui* character," or "loose character," if translated directly.

- There are so many of them. Can you tell me their features and one or two popular ones?

- There are three rules pertaining to area-based "Yuruchara." First, it must clearly convey a love of their homeland. Second, it must have an awkward and characteristic way of standing and moving. Third, it must be adorably soft. The *Yuruchara* Grand Prix of 2015 chose *Shussedaimyo Ieyasukun* of Hamamatsu City as the grand prize winner, *Mikyan* of Ehime for second place, and *Fukkachan* of Saitama for third.

☐ abbreviation of ～
　～の省略形
☐ pertain to ～
　～に関連する；～に付属する
☐ area-based
　ご当地の
☐ a love of one's homeland　郷土
☐ an awkward and characteristic way of standing and moving
　立ち振る舞いが不安定かつユニーク
☐ adorably soft
　愛すべきゆるさを持っている

日本語にまつわる "不思議"

深掘り！JAPAN！

- ゆるキャラの歴史
  ①2000年に、漫画家のみうらじゅんが考案しました。
  ②2013年1月27日に、全国各地のご当地キャラクターがハウステンボスに集まり、100体以上のキャラクターが5分間以上ダンスするギネス世界記録に挑戦し、「世界最大のマスコットダンス」として認定されました。
  ③ゆるキャラの数は、2014年、ゆるキャラグランプリの出場者数だけで、1700でした。
- 最も長い名前のゆるキャラは、富山県入善町のゆるキャラ「ニューゼン　ジャンボ〜ル　ライス　チューリップヒ　ディープシーウォーター　アワビーヌ　スイカリアン　キング　三世（略称：ジャンボ〜ル三世）」です。
- ゆるキャラの「中の人」は、**きぐるみ（character costume）**が想像以上に重く、暑いし、**視界（visibility）**も悪く、自らの大きさの感覚がつかめなかったりします。さらに、**炎天下（under the blazing sun）**でのイベントでは**熱中症（heat stroke）**のリスクがあります。
- くまモン（熊本県）やひこにゃん（滋賀県彦根市）などの人気キャラクターは、異なる場所で同時刻に登場しないようにスケジュール調整がされています。
- 「くまモン」の「モン」はカタカナ表記であることに注意しましょう。くまモンは、ゆるキャラグランプリ2011年の王者です。
- 船橋市非公認の人気キャラの「ふなっしー」は、日本ご当地キャラクター協会公認です。性別は「無し」（➡ 梨に通じる）、身長90cm、体重35kg、ご当地キャラ総選挙2013で優勝しています。ちなみにふなっしーは、ローマ字ではfunassyiとなります。地域おこし活動以外に、**タレント（personality）**・歌手・**声優（voice actor）**と活動の幅を広げています。

---

p.168の日本語訳

😊 ゆるキャラって最近よく耳にするのですが、一体何ですか。

😊 ゆるキャラとは地域、企業その他のPRに使用するマスコットのこと。ゆるいマスコットキャラクターの略です。

😊 結構いっぱいいますね。その特徴や人気のキャラクターを少し教えてくれますか。

😊 ご当地のゆるキャラ3カ条というのがあり、その1、郷土愛に満ちあふれた強いメッセージ性があること、その2、立ち振る舞いが不安定かつユニークであること、その3、愛すべきゆるさを持ち合わせていること。2015年のゆるキャラグランプリで、ご当地部門で1位が浜松市の出世大名家康くん、2位が愛媛のみきゃん、3位が埼玉県深谷市のふっかちゃんでした。

お役立ちコラム⑤ 日本の相撲あれこれ

　国技として身近な相撲について、結構知らないことが多いものです。まず、相撲の力士は車の運転ができません（運転免許自体は取得も、更新もできます）。これは、相撲協会の自主規制で決まっていることで、十両以上に当てはまります。ですから、十両と幕下との違いの１つが、車を運転できるどうかということになります。

　ここで、十両の話が出たので、83ページで扱った「日本の相撲のランキング」の英語について補足しておきましょう。十両は the junior-grade division としてもよいでしょう。なお、幕下を the third highest とせず、the fourth lowest としたのは、幕下以下と十両以上に**大きな差（a wide gap）**があるからです。俗に、「十両と幕下は天国と地獄」と言われます。たとえば、十両は給料が出ますが、幕下は本場所手当のみなのです。

　相撲のテレビ放送には延長がありません。その理由は、相撲の取り組みに制限時間を設けて、放送時間内に収まるよう、調整しているからです。この調整が可能なのは、取り組み自体に時間がかからず、もともと呼び出しや仕切りに時間をかけているからです。この呼び出しと仕切りの時間を調整するのです。制限時間は、1960年ごろから、幕内４分、十両３分、幕下以下２分となっています。

　最後に、相撲に関する言葉の話を２つ。序の口は相撲のレベルの一番下ですが、これが日常で、相撲以外の場面でも幅広く使われるようになりました。「まだまだ序の口だよ（＝これから実力を見せるよ）」というイディオムがその例です。英語で言うと、You should see me when I really get going. となります。

　また、**八百長（a put-up job ; a fixed game）**という言葉、これが相撲と関係が深いのを知っていましたか。明治時代のはじめ、八百屋をしていた根本長造さんは、名前を縮めて「八百長さん」と呼ばれていました。彼は相撲が大好きで、特に当時の伊勢ノ海親方に取り入ろうとして、親方の好きな**囲碁（a board game of capturing territory）**でわざと負けていました。それが八百長の語源なのです。

6章

日本人にはちょっと意外な "不思議"

最後は、すでに日本人の生活に溶け込みすぎていて、私たちが今さら疑問にすら思わない——しかし外国人から見ると不思議でいっぱいの——12の疑問について、英語で説明してみましょう。

テーマいちらん
お婆さん／地震／スーツ／チップ／東京／東京タワー／輸出入／世界一／日本一／訪日外国人／てるてる坊主／賭博

77 なぜお婆さんが自転車に乗るの？

2-16

Why do old women ride bicycles in Japan?

I see elderly folk riding their bikes here and there. How come? It seems dangerous.

This is actually a testament to Japan's safety. Though it's possible that you can have something snatched from you while biking, in Japan you'll be very safe whenever you're in populated areas.

Which is to say that the numerous vending machines on the roads are another sign of Japan being a safe country, aren't they? In some countries, they keep many vending machines indoors because some muggers may try to pry them open and steal the money inside.

I see. There's a danger of vending machines being attacked by robbers? However, if you're talking about Europe, they may prefer indoor vending machines so as not to disturb the historic atmosphere of certain places.

- elderly folk 高齢者
- a testament to ～ ～の証
- snatch 動 ～をひったくる
- populated area 人口密集地
- Which is to say that X is ～, isn't it? ということはXは～だということですね。
- vending machine 自動販売機
- mugger 名 路上強盗
- pry ～ open ～をこじ開ける
- a danger of X Ving XがVする危険
- historic 形 歴史的に有名な

日本人にはちょっと意外な "**不思議**"

日本の "アレ" を英語で言ってみよう！

「景勝地 (＝名勝)」
places of scenic beauty; beauty spots

「名所旧跡」
places of (scenic beauty and) historical interest; (scenic and) historic spots; historic sites; sightseeing spots

※日本は安全だと言われますが、東日本大震災 (Great East Japan Earthquake) によって、原発 (nuclear power station) の損傷で、安全神話 (safety myth; safety dogma) が崩れた面もあります。しかし、日本の素晴らしい面もあります。日本は自然と歴史の宝庫 (treasure house) と言えます。その自然と歴史の場所を表す英語を覚えておきましょう

深掘り！JAPAN！

- 日本では、コンビニの**ATM** (**automatic teller machine / automated teller machine**) でお金が、最高200万円まで、わずか4分で**引き出せる** (**withdraw**) という事情は外国人にとっては驚きのようです。もちろん、カードに**限度額** (**limit amount / credit limit (on a credit card)**) が設定されていて、50万ぐらいまでしか下ろせない場合もあるでしょうが、それでも50万円は普通に下ろせますね。これが驚きです。アメリカやオーストラリアでは、200ドルから多くても1500ドルぐらいまでしか下ろせないようです。このことも、日本がいかに安全な国であるかを**象徴して** (**symbolize**) います。

✋CHECK 「忘れる」は forget とは限らない

日本は安全な国で、私も新幹線で忘れた傘が戻ってきた経験があります。さて、「傘を電車に忘れた」を英語にすると、**I forgot my umbrella in the train.** ではなく、**I left my umbrella in the train.** となります。前者の意味は、「傘を電車に持ち込むのを忘れた」になる可能性があります。つまり、forget は「持ってくるのを忘れる」、leave は「置いたまま持っていくのを忘れる (＝置き忘れる)」の意味で、使い分ける必要があるのです。

p.172 の日本語訳

😊 あちこちで高齢者が自転車に乗っていますね。なぜですか。危ないですよ。

😊 このことは日本が安全な国だということの証です。自転車に乗っているときに、ひったくられることが全くないわけではないけれど、日本では人通りのあるところでは、まず安全ですね。

😊 ということは、数多くの自動販売機が道端にあることも、安全な国である証拠ですね。建物内や駅などにしか自動販売機がないという国もありますよ。というのは、路上強盗のなかにはそれをこじ開けて中のお金を盗む者もいるからです。

😊 なるほど、自動販売機が狙われるという危険もあるということですね。でも、ヨーロッパについて言えば、歴史的建造物があったら、その景観を損なわないという意識も強いということも、その理由だそうですね。

6章

78 どうしてこんなに地震が起こるの？

2-17

Why do so many earthquakes occur?

Japan is a land of earthquakes, right? Why do so many earthquakes occur?

The reason is that Japan lies in an area where tectonic plates overlap. About 20% of high magnitude earthquakes in the world occur in Japan. Nearly 200 earthquakes with a magnitude of 6 and over have occurred in the past ten years.

Japan is also a volcanic country, isn't it?

You said it. The active volcanoes that are likely to erupt number at 110. This accounts for 7% of the total number of volcanoes in the world.

- lie in 〜　〜にある
- tectonic plate （地殻運動による）プレート
- an earthquake with a magnitude of X　マグニチュードXの地震
- You said it.　その通りです。
- erupt 動 噴火する
- number at 〜　数が〜ある
- account for 〜　〜という率を占める

日本人にはちょっと意外な "**不思議**"

日本の"アレ"を英語で言ってみよう！

「地震国」
a land of earthquakes; a country with frequent earthquakes; a quake-prone country

※〈X-prone ～〉で「X が起こりがちな～」や「X を起こしがちな～」を表す。
➡ an accident-prone driver（事故を起こしがちな運転手［= 事故をよく起こす運転者］）

「大地震」	「火山国」	「活火山」
a high magnitude earthquake; a great earthquake	a volcanic country	an active volcano

深掘り！JAPAN！

● 日本は**台風**（**typhoon**）・**津波**（**tsunami**＝ **a seismic sea wave ＝ a tidal wave**）など自然災害も多いので、自然は脅威でもありますが、同時に美しさもあります。だから春の**花見**（**cherry blossom viewing**）、秋の**紅葉狩り**（**viewing of fall leaves**）があるのです。紅葉狩りは、アメリカでは leaf peeping（直訳：葉っぱ覗き）と言い、紅葉狩りに行く人は、leaf peeper または leafer とか言ったりします。

👉CHECK go to V と go Ving の違い

go to V の to V には義務的なこと、go Ving の Ving には比較的楽しいことが来ます。いくつか例を挙げておきましょう。

- ☐ go to work　　　　　　　仕事に行く　　※ go working とは言わない。
- ☐ go fishing　　　　　　　　魚釣りに行く
- ☐ go shopping　　　　　　ショッピングに行く
- ☐ go mushrooming　　　キノコ狩りに行く
- ☐ go strawberry-picking　イチゴ狩りに行く　※「イチゴ狩り」is strawberry picking
- ☐ go firewood-gathering　柴刈りに行く　※**柴**（**firewood**）は芝（**lawn**）ではない。

※「X へ○○に行く」の「へ」は to ではなく、at や on や in などが用いられる。go shopping at the store で「その店へショッピングに行く」、go mushrooming in the mountain で「山にキノコ狩りに行く」を表します。

p.174 の日本語訳

😊 日本は地震国ですね。どうして地震が多いの？
😐 その理由は、日本がプレートのぶつかる場所にあるからですよ。世界の大きな地震のおよそ20％が日本で起きています。マグニチュード6以上の地震が、過去10年間で200回近く起きています。
😊 日本は火山国でもありますね。
😐 そうです。噴火するかもしれない活火山が110もあります。これは全世界の火山の総数の7％にあたります。

6章

175

79 なぜ夏なのにスーツを着るの？

2-18

Why do Japanese wear suits in summer?

- the average temperature
  平均気温
- X degrees Celsius
  摂氏X度
- under the scorching sun
  焼けつくような太陽の元
- This is proof that ～.
  これは、～であることの証明になる。
- emphasize
  動 強調する
- under the glaring sun
  ぎらぎらする太陽の元

Why are there so many people wearing suits in the middle of summer?

Actually, it's hot and humid in summer. In the past 100 years the average temperature in Tokyo has increased by 3.3 degrees Celsius. Though a campaign to promote the wearing of casual clothing in summer called "Cool Biz" exists these days, many salespersons are still going around wearing their wool suits under the scorching sun. This is proof that Japan emphasizes strict discipline regardless of any discomfort due to the climate.

It seems to me that the senior high school baseball tournament is a good example of such discipline.

It is true that the games take place under the glaring sun without much concern for the athletes' health; therefore, Japanese may be unique in that we enjoy cheering for people struggling to do their best in an exhausting environment.

日本人にはちょっと意外な "**不思議**"

日本の"アレ"を英語で言ってみよう！

「蒸し暑い」	「クールビズ」
hot and humid	Cool Biz

深掘り！JAPAN！

- 日本文化には暑さ対策への工夫があります。**金魚**(**goldfish**)と**風鈴**(**Japanese wind-bell [whose metallic sound makes one feel cooler]**)の2つです。外国人からは「金魚を見て涼しいか？ 風鈴の音を聞いて涼しくなるか？」とつっこまれます (be immediately asked) が、**夏の風物詩**(**summer reminders**; cultural reminders for Japan's summer; things that reminds one of the summer in Japan) としては、この2つは有名です。

- 外は暑いのに会社内は冷房を**ガンガンにして**(**vigorously**)、**女子社員**(**female employee**) が**冷え症**(**have bad circulation**; be sensitive to the cold) で悩むとは皮肉な状況。部屋で冷房をきかすので、都会でビルの外は**亜熱帯**(**subtropical**) 状態。

- 外国人は「日本には厳しい服装規定があるの？ 皆スーツを着ているじゃないか (Is there a strict dress code in Japan? Everyone seems to wear suits!)」と聞いてくることがありますが、「スーツで出勤して、多くの人は会社の制服に着替えます (They often go to work in formal suits, and many change their clothes into their company uniforms.)」と言うべきでしょう。

- 花火を初めて見た日本人は、戦国武将の伊達政宗と考えられます。1589年に米沢城で唐人による花火を楽しんだという記述が『伊達治家記録』にあるからです。

- 日本かき氷協会が7月25日を「夏氷の日」としているので、この日はかき氷記念日です。1933年7月25日山形県で当時日本最高記録 (現在は2位) である40.8度の気温が観測されたことに由来します。7-2-5 (ナツゴおり) という語呂合わせにもなっています。

p.176 の日本語訳

😀なぜ、真夏でもスーツ姿の人が多いの？
😀確かに夏は蒸し暑いですね。この100年で東京の気温は摂氏で3.3度上がりました。最近は夏の軽装化キャンペーンであるcool biz があるけれど、それでも炎天下で外回りの営業マンがウールのスーツ姿をしていることが多いです。これは気候が原因で起こるいかなる不快感をも無視して、厳しい規律を重視するという日本を物語っています。

😀高校野球がその規律を示す適例である感じがしますよ。

😀確かに炎天下でアスリートの体調を気にせず試合が行われているので、日本人は、この灼熱の太陽という試練の中で頑張る球児に声援を送る不思議な民族かもしれません。

80 本当にチップは不要なの？

🔊 2-19

Is tipping really unnecessary in Japan?

> Is tipping really unnecessary in Japan?

> We don't have the custom of paying gratuities in Japan. This isn't unique in the world as there are some other countries where there is no need for tipping as well. For example, in France it is impolite to tip because tips are included in the total price of any item.

> I think I heard that in some countries you will be punished if you tip.

> In Argentina, tipping is a crime. Oman and Yemen also strictly frown upon tipping for any reason.

- We don't have the custom of Ving
  我々はVするの習慣がない。
- gratuity 名 心付け

- It is impolite to V
  Vすることは失礼である。
- impolite
  形 失礼になる

- Argentina
  名 アルゼンチン
- Oman 名 オマーン
- Yemen 名 イエメン
- X frown upon 〜
  Xでは〜をすると眉をひそめられる

日本人にはちょっと意外な **"不思議"**

日本の"アレ"を英語で言ってみよう！

- 感謝のしるしのチップの習慣はないが、贈り物の習慣がある。

  ①お世話になった方（**those who have done something nice for one**）

  への感謝を表すフォーマルな贈り物の習慣

  お中元 (the custom of sending) **mid-year gifts** (to those who have done something nice for one)

  ※ Bon Festival gifts と表現することもできる。

  お歳暮 (the custom of sending) **year-end gifts** (to those who have done something nice for one)

  ②感謝を表すためのインフォーマルな習慣

  義理チョコ（**obligation-gift chocolate**
  　　　　　　　　［直訳＝ social obligation chocolate］）

  ※ chocolate given to one's superiors as a token of thanks on Valentine's Day（バレンタインデーに感謝の印として上司にあげるチョコレート）とも表現できる。

深掘り！JAPAN！

- バレンタインデーでのチョコレートの種類

  本命チョコ　**"love-you" chocolate**
  ［＝the chocolate that a girl wants to give the man she loves］
  自分が好きな男性にあげたいと女性が思うチョコ

  義理チョコ　**"obligation" chocolate**　［プラスイメージ→ **"courtesy" chocolate**］
  ［＝the chocolate that a woman employee gives her bosses or colleagues to show her gratitude for their daily help］
  上司や同僚に日頃のお世話に感謝して女性社員があげるチョコ

  義務チョコ　**"must" chocolate**
  ［＝the chocolate that a woman employee has to give because her bosses require her to give it to them］
  上司が要求するので、女子社員があげなければならないチョコ

  友チョコ　**"friendship" chocolate**
  ［＝the chocolate that a woman gives to her friends as a token of friendship］
  女子が友達に友情の印としてあげるチョコ

---

p.178 の日本訳

😊日本ではチップは本当に要らないの？
😊日本にはチップの習慣は全くありません。チップの習慣がない国は日本だけではないですよ。例えば、フランスでは（法律により）料金にチップが含まれているので、チップを払うと失礼になりますね。
😊チップを払うと罰せられる国もあったような気がします。
😊アルゼンチンではチップは犯罪です。オマーンやイエメンもチップを払うと失礼な国です。

81 なぜ東京に一極集中するの？

2-20

Why are so many companies centered in Tokyo?

Many companies are headquartered in Tokyo, aren't they? Why are they concentrated in Tokyo, and Tokyo alone?

Tokyo is Japan's capital. Though a company can promote itself and its offerings anywhere because of the Internet, all eyes are on Tokyo so it helps to have a head office there.

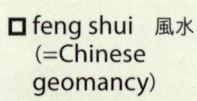

Yes, Tokyo does receive the largest amount of foreign visitors of all the cities in Japan.

That's right. From the viewpoint of the Chinese philosophy known as feng shui, Tokyo has many factors behind its prosperity. According to feng shui, having a mountain to the north, a sea to the south, a road to the west, and a river to the east helps a city prosper. Tokyo has the Kanto mountains to the north, Tokyo Bay to the south, the Tokai Road to the west, and the Sumida River to the east. For these attributes, Tokyo is guaranteed prosperity if you believe in this sort of thing.

- ☐ headquartered in ～　～に本部を置く
- ☐ concentrate in 場所　場所に集中する
  ※ concentrate on 事（事に集中する）
- ☐ feng shui　風水（=Chinese geomancy）
- ☐ attribute
  名 属性；特性；特質

日本人にはちょっと意外な "**不思議**"

日本の"アレ"を英語で言ってみよう！

「一極集中」 heavy concentration; overconcentration
「中央集権」 centralization ⇔「地方分権」 decentralization
「植林」　　 forestation ⇔「森林伐採」 deforestation
「砂漠化」　 desertification

深掘り！JAPAN！

- 京都も風水的に良い場所でした。1000 年以上も都として栄える素地があったとされています。
　㊗——丹波山地　㊙——巨椋池（おぐら）（昔あった）　㊤——鴨川　㊥——山陽道

- 英国情報誌 Monocle によると、「世界の住みやすい都市ランキング」で 2014 年版では東京は 2 位（1 位は**コペンハーゲン**［Copenhagen］）、2015 年版では 1 位（2 位は**ウィーン**［Vienna］）。

- 現在の東京には、23 **区**（**Ward**）、26 **市**（**City**）、1 **郡**（**County**）、4 **支庁**（**Sub-Prefecture Office**）：大島、三宅、八丈、小笠原）があり、人口は 2010 年時点で 1316 万人です。**東京都市圏**［**metropolitan areas**］（京浜葉大都市圏）の人口は 3460 万人で、世界一。2 位はジャカルタ、3 位はソウル（都市的地域の人口）。

- 年間収益 10 億ドル以上の大企業の本社数は、東京が 613 社で 1 位、2 位のニューヨークの 217 社を上回っています。

- 人口最少の村が東京都にあります。東京都に属する**伊豆諸島**（**Izu Islands**）にある青ヶ島村は人口が 166 人です。日本**最南端**（**southernmost tip**）の沖ノ鳥島と、**最東端**（**easternmost tip**）の南鳥島も東京都に所属しています。

- JR 池袋駅の東口には西武百貨店、西口には東武百貨店があります。

- JR 目黒駅は目黒区にはなく、品川区にあります。一方、JR 品川駅は品川区になく、港区にあります。

p.180 の日本語訳

😀 多くの企業が本社を東京に置いていますね。どうして、なんでも東京に一極集中するのでしょうか。

😀 東京は日本の首都です。インターネットのおかげで、会社自体や売り物のプロモーションはどこでもできるのですが、みんな東京の方を向いているので、そこに本社を持つことは役に立つのです。

😀 確かに東京を訪れる外国人の数が、日本の都市の中でトップですね。

😀 そうです。風水という占い的にも東京が栄える要因があるのです。風水によれば北に山、南に海、西に道、東に川があると栄えるとされていますが、東京は北に関東山地、南に東京湾、西に東海道、東に隅田川があるので、風水的に発展が保証されています。

6 章

82 なぜ東京タワーはエッフェル塔に似てるの？ ◎2-21

Why the Tokyo Tower looks like the Eiffel Tower

Why does the Tokyo Tower look like the Eiffel Tower?

At the time Tokyo Tower was constructed, all radio towers looked slightly similar. Also, the idea of copyright infringement was not as popular in the past as it is now. On top of this, since this particular radio tower was not mass-produced, people didn't worry so much about any similarities.

This means around the time when Tokyo Tower was built, imitating someone's design wasn't so problematic.

There is a tower called Tsutenkaku in Osaka that originally looked like an amalgamation of preceding structures in France. The first-generation Tsutenkaku built in 1912 was actually an imitation that seemed to combine the Triumph Arch with the upper part of the Eiffel Tower. The present day second-generation tower does not bear such a design.

- ☐ the Eiffel Tower
  エッフェル塔
- ☐ copyright infringement
  著作権侵害
- ☐ on top of this
  これに加え
- ☐ mass-produce
  動 大量生産する
- ☐ problematic[al]
  形 問題となる
- ☐ amalgamation
  名 融合したもの
- ☐ preceding
  形 先に存在している
- ☐ first-generation
  形 初代の
- ☐ the Triumph Arch
  凱旋門
- ☐ bear a design
  デザインが施されている

日本人にはちょっと意外な "不思議"

深掘り！JAPAN！

- 偶然の一致
  - 東京タワーは昭和33年に建設され、高さは333m。平成3年には33周年（33rd Anniversary of the foundation）を迎えました。だから昭和33年3月3日生まれの人は平成3年3月3日に33歳の誕生日を迎えたことになります。
  - 同様に、大正7年7月7日生まれの人は平成7年7月7日には77歳の誕生日を迎えました。明治11年11月11日生まれの人は平成1年11月11日に生きていたら111歳を迎えていたことになります。

- 東京タワーとエッフェル塔の違い

	東京タワー	エッフェル塔
正式名称と名前の由来	日本電波塔 東京にあるタワー	エッフェル塔 アレクサンドル・ギュスターヴ・エッフェルが建設者
所有者	日本電波塔株式会社	パリ市
展望台	2つ：150mと250m	3つ：57.6m、115.7m、276.1m
正面	あり	なし
夜景の著作権	なし	ライトアップされた塔を無許可で公表すると違反

- フランス人技師であるアレクサンドル・ギュスターヴ・エッフェルは**自由の女神像**（the Statue of Liberty）の設計者でもあります。

- エッフェル塔はフランス革命100周年を記念して、1889年にパリで行われた第4回万国博覧会のために、2年2カ月という驚異の速さで建設されました。当初の契約により、1909年に**解体される**（be dismantled）予定でしたが、軍事用の無線電波をエッフェル塔から送信することになり、国防上の重要な建築物なったため、現在まで残っているのです。

- エッフェル塔には正面がありません。この理由は、万博の会場内のどこから見ても同じように見えるように設計されたからです。

---

p.182の日本語訳

😊 なぜ東京タワーとエッフェル塔は似てるの？
😀 東京タワー建設当時の技術では、どうしてもよく似たものになります。あまり著作権などうるさくない時代だし、さらに大量生産をしないのだから、エッフェル塔側は気にならなかったのでは。
😊 パクリが大きな問題にならない時代だったのですね。
😀 大阪には通天閣がありますが、元々、過去のフランスの建物の融合体に見えるものだったんですよ。1912年に建設された初代の通天閣はパクリと言えます。というのは、凱旋門にエッフェル塔の上半分を載せたような塔だったから。現在の通天閣は2代目で、そのデザインはありません。

6章

83 日本で一番多く輸出入されているものは何？ 🔘2-22

What is the No. 1 product exported or imported?

What is the No. 1 product exported from Japan in terms of monetary value?

The most lucrative exported item is the automobile. Most are exported to the United States, but exports to Asian and Middle Eastern countries are also on the rise. The total export value of cars in 2014 was 14,784,100,000,000 yen, out of Japan's total export worth of 73,093,000,000,000 yen.

How about imported products?

Japan's 2014 total import value was 85,909,100,000,000 yen. The greatest imported item is crude oil and unrefined vegetable oil, which account for 16.2% of the total amount. The import of coal made up 2.4% of the total, with Japan being the world's largest coal importer.

- ☐ monetary　形 金銭的な
- ☐ lucrative　形 儲かっている
- ☐ on the rise　増加して
- ☐ export value　輸出額
- ☐ worth of ～　～の額で
- ☐ import value　輸入額
- ☐ crude oil　原油
- ☐ unrefined vegetable oil　粗油

日本人にはちょっと意外な **"不思議"**

日本の"アレ"を英語で言ってみよう！

「石炭輸入国」
a coal importer

「自動車輸出国」
an automobile exporter

深掘り！JAPAN！

- **日本の依存度**

  日本の**食料自給率**（food self-sufficiency rate）は、生産額ベースで64%、カロリーベースで39%、品目別で、米（rice）97%、小麦（wheat）13%、イモ類（potatoes; tubers and roots）78%、野菜（vegetables）80%、果物（fruits）43%、肉類（meats）55%、魚介類（seafood; fish and shellfish）54%。

- **日本の意外な輸入元と輸入品**

  タコ（octopus）は海外ではあまり食べませんが、日本人は大好きですね。特に大阪では**たこ焼**（octopus dumplings）が人気です。このタコは**モロッコ**（the Kingdom of Morocco）から最も輸入しています。**輸入元**（import source）第2位は**モーリタニア**（the Islamic Republic of Mauritania）です。モロッコ産とモーリタニア産のタコを合わせると、タコの総輸入量の約75%になります。一方、海外ではあまり食べないもう1つの**頭足類**（cephalopod）である**イカ**（squids）は、**中国**（People's Republic of China）から最も輸入しています。輸入元第2位は**ペルー**（the Republic of Peru）です。中国産とペルー産を足すと、総輸入量の半分を超えます。

  日本は世界29位のコーヒー消費国ですが、コーヒー豆はもちろん**ブラジル**（the Federative Republic of Brazil＝ブラジル連邦）から最も輸入しています。第2位は**ベトナム**（the Socialist Republic of Vietnam）です。ベトナムはかつてフランスの**植民地**（colony）であったため、フランス人同様、コーヒーを飲む習慣が根付いています。生産地としても世界有数の国なのです。

---

p.184 の日本語訳

😊金額の観点で、日本が一番輸出しているものは何ですか？

😊輸出額で最も儲かっている（＝輸出額が最大である）のは自動車で、アメリカへ最も輸出していますが、アジアや中東への輸出も伸びています。2014年度は、日本の輸出総額73兆930億円のうち、自動車の総輸出額が14兆7841億円でした。

😊輸入についてはどうですか。

😊2014年、日本の輸入総額は85兆9091億円でした。そんな中、日本が最も輸入しているのは、その総額の16.2%を占めている原油及び粗油です。この年、石炭の輸入は2.4%を占めましたが、日本は石炭の世界最大の輸入国でもあります。

84 日本の"世界一"って何?

🔊 2-23

What is something on top of the world?

Does Japan have anything of <u>notoriety</u> that has achieved worldwide recognition for being first in its class?

First of all, Japan has the world's longest serving royal family, which is of course the Imperial Family of Japan. The family has been <u>in power</u> for over 1,500 years if we start from the reign of Emperor Keitai, at which time historical records clearly prove his existence. The present emperor is the 100th if we count this way.

How about natural phenomenon or man-made structures?

Okinotorishima, <u>with an area of</u> 9 square meters, is the smallest island in the world. The world's tallest <u>radio tower</u> is Tokyo Skytree, <u>with a height of</u> 634 meters. For <u>a relatively unknown bit of trivia</u>, the 131 meter-tall Kyoto Tower is the highest <u>non-steel tower</u> in the world.

- **notoriety**
  名 名をはせること
  ※悪評の意味もあるが、ここではfameの意味。
- **in power**
  権力を握っている
- **with an area of ～**
  ～の面積の
- **radio tower** 電波塔
- **with a height of ～**
  ～の高さの
- **for a relatively unknown bit of trivia**
  あまり知られていないプチ情報だが
- **relatively** 副 比較的
- **trivia**
  名 雑学；プチ情報
- **non-steel tower**
  無鉄骨塔

日本人にはちょっと意外な **"不思議"**

日本の "アレ" を英語で言ってみよう！

「天皇家」	「宮内庁」	「東京スカイツリー」
the imperial family of Japan	Imperial Household Agency	Tokyo Skytree

深掘り！JAPAN！

- ユニークな世界一というのがあります。少し見てみましょう。
  ① 世界一長いお化け屋敷：Dead or Alive
    ※歩行距離1290m・山口県宇部市・「お化け屋敷」は英語で a haunted house / a ghost-ridden building と言う
  ② 世界一低い位置の駅：吉岡海底駅（廃止）　※海面下149.5m。北海道松前郡
  ③ 世界一乗降客が多い駅：新宿　※一日平均347万人
  ④ 世界一の売上の鉄道会社：JR東日本　※1兆8075億円
  ⑤ 世界一の書籍売上の**占い師 (a fortune-teller)**：細木和子　※6500万部
  ⑥ 世界一のコミック数の**漫画家 (a cartoonist / a comic artist)**：石ノ森章太郎　※全500巻、128,000ページ
  ⑦ 世界一長い歌：「ねがい」
    ※平和を訴える歌・現在1600番 (verse 1600) まである・2007年、1023番の歌詞を作詞した錦野旦が1023番まで11時間39分22秒かけて歌いきった

- 英国BBC放送が**世論調査を行った (take a public-opinion poll [＝make a survey of public opinion])** ところ、日本は「**世界に良い影響を与えている国 (a country that has good influence on the world)**」の第1位に輝きました。

- 本文で世界一の塔（スカイツリーと京都タワー）の話が出てきましたが、日本には、全体で少なくとも塔に関しては、4つの世界一があります。後の2つは、次のとおりです。法隆寺五重塔は、**現存する (existing; extant)** 世界一古い木造の塔（高さ31.5m）で、G1TOWER（日立／茨城県ひたちなか市）は、世界一高いエレベータ試験塔（高さ213.5m）です。
  ※現存する日本一高い五重塔は、京都の東寺の五重塔（高さ54.8m）
  ※タワーではないが、Rセントラルタワーズ（名古屋駅）は、世界一高い駅ビル（高さ245m）

p.186 の日本語訳

😊 日本で、ある分野で、世界一を認められた、何か有名なものがありますか？
😊 まず、世界で一番長く家系が続いている王室を持っています。もちろん、天皇家のことです。史実として確実にさかのぼることができる継体天皇から数えて、現在1500年の治世を超えています。現天皇は、このように数えると100代目になります。
😊 自然現象や人工の建造物ではどんなものがありますか。
😊 世界一小さな島として、面積9平方メートルの沖ノ鳥島。世界一高い電波塔が高さ634mの東京スカイツリー。あまり知られていない事実として、131mの高さの京都タワーは世界一高い無鉄骨塔です。

6章

85 日本一について教えてくれない?
Tell me what ranks first in Japan!

2-24

> Tell me about some of the things that rank first in Japan.

> We'll have to consider both the land and sea in this case. The farthest point from which Japan's highest mountain, the 3776 meter-tall Mt. Fuji, can be seen is the Irokawa-Fujimi Pass, located in Nachi-Katsuura-cho, Wakayama Prefecture. This is a whopping 322.9 kilometers from the mountain! In the same town is Japan's shortest river, the Butsubutsu, at only 13.5 meters long.

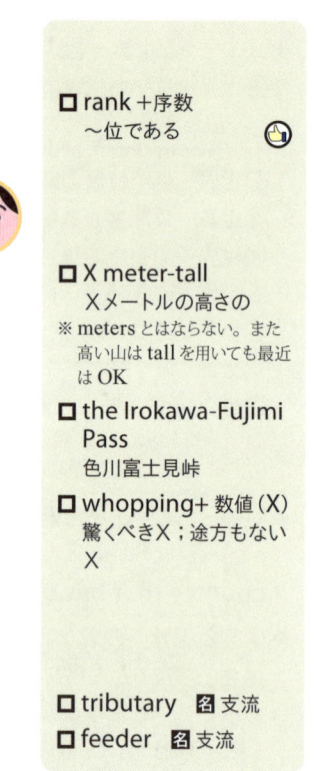

- rank ＋序数
  〜位である

- X meter-tall
  Xメートルの高さ
  ※ meters とはならない。また高い山は tall を用いても最近は OK

- the Irokawa-Fujimi Pass
  色川富士見峠

- whopping＋数値 (X)
  驚くべき X；途方もない X

- tributary　名 支流
- feeder　名 支流

> The longest river in Japan is the Shinano River, isn't it? What is the length of the river?

> It is 367 kilometers long. Incidentally, the river that has the largest number of tributaries, 965 in fact, is the Yodo River in the Kansai area. The Shinano River ranks second, having 880 feeders.

日本人にはちょっと意外な **"不思議"**

日本の"アレ"を英語で言ってみよう！

日本人は3つにまとめる表現が好きなので、その代表例を紹介しましょう！

「日本三景」
the scenic trio of Japan; the three great views of Japan; the three most famous scenic places in Japan

※日本三景は、松島、天橋立、宮島のことですが、これらは国が定めたものではなく、昔から人々の間で言われているに過ぎない

深掘り！JAPAN！

- ユニークな日本一
  ①日本一客室数が多いホテル：品川プリンスホテル　※3680室・東京都港区
  ②日本一長い商店街：天神橋筋商店街
  　※南北2.6km・大阪市北区・「商店街」は英語で a shopping street
  ③日本一チェーン店舗数が多いコンビニ：セブンイレブン
  　※18,572店（2016年3月現在）
  ④日本最大の観覧車：葛西臨海公園ダイヤと花の大観覧車
  　※直径111m・東京都江戸川区・「観覧車」は英語で a big wheel
  ⑤日本最速のエレベーター：横浜ランドマークタワー69階への直通エレベーター
  　※最速時分速750m（＝時速45km）
  ⑥日本一歴史の長い国政政党：**日本共産党**（JCP=**Japan Communist Party**）
  　※1922年結成・ちなみに日本一短命の国政政党は農民労働党1925年12月1日結成即日解散命令
  ⑦日本一直径の大きい鍋：二代目鍋太郎
  　※「日本一の芋煮会フェスティバル」（山形市）で使用される大鍋・直径6.0m、重さ3.2トン、深さ1.65m・「直径」は英語で diameter
  ⑧日本一短い祭：塩嶺御野立記念祭
  　※開始から終了まで5秒から1分程度・昭和天皇行幸記念碑に頭を下げるだけ

- 日本三景のうち、松島と天橋立は平安時代中期までに、京都では、景勝地と認識されていました。宮島は、平安時代末期に平清盛が厳島神社を崇敬してから、現在のような**海と社殿の融合**（**shrine structures connected with the sea**）が生まれたのです。

p.188 の日本語訳

😊日本一のものを幾つか教えてください。
😊陸と海に関する日本一を考えてみましょう。日本一の高さを誇る3776mの富士山が見える一番遠くの場所として、和歌山県那智勝浦町の色川富士見峠があります。ここは、なんと322.9km離れています。同じ町に日本一短いぶつぶつ川があり、全長13.5mです。
😊日本一長い川は信濃川ですね。全長何キロですか。
😊367kmです。ちなみに、日本一支流の多い川は、関西の淀川で、支流が965本です。信濃川は2位で880本です。

6章

86 日本に最初に来た外国人は？

🎧 2-25

Who was the first foreigner who visited Japan?

> Who was the first foreigner who visited Japan?

> In ancient times, people came to Japan from the Korean Peninsula. The Hata clan is famous in this regard. They lived in Kyoto, and helped establish the Heian Capital in 794.

- ☐ the Korean Peninsula
  朝鮮半島
- ☐ clan 名 一族
- ☐ the Heian Capital
  平安京
  ※直訳は the tranquility and peace capital

> Then, who was the first Westerner that came to Japan?

> Historically, Portuguese are considered to have introduced guns to Japan in 1543. However, there is a possibility that some other Westerners came even before that. Afterwards, Francis Xavier, a Spanish missionary, came to Japan to propagate Christianity in 1549.

- ☐ historically
  副 歴史的には

- ☐ a Spanish missionary
  スペイン人宣教師
- ☐ propagate
  動 広める

日本人にはちょっと意外な "不思議"

日本の "アレ" を英語で言ってみよう！

「渡来人」
people who came to Japan from the Korean Peninsula

「平安京」
the Heian Capital（最南に羅城門）
※平安宮：the Heian Palace（最南に朱雀門）

深掘り！JAPAN！

● 日本に来た有名渡来人――秦氏と日ユ同祖論

　この**出自**（**blood-lines; birthplace**）については諸説あります。中国の秦（Qin）王朝の**末裔**（まつえい：**descendant**）が朝鮮半島に起こした秦韓（辰韓：Jinhan confederacy）の系統だとする説から、**景教**（けいきょう＝中国に入ったキリスト教のネストリウス派：**Nestorianism**）の信者で、**ユダヤ人**（**Jew**）だったとする説まであります。

　「秦」という漢字は**異民族**（**different ethnic group**）を表しており、中国に大秦寺（だいしんじ）があり、ネストリウス派寺院の一般名称ですが、特に**唐**（Tang）の**長安**（Chang'an）にあった大秦寺が有名です。「大秦」とはローマを表していたようです。日本の「太秦寺」（＝広隆寺）と名前が似ているが、この太秦寺は秦氏の氏寺です。**日ユ同祖論**（**hypothesis that Jews and Japanese are of common ancestry**）では、日本にも同種のお寺を建てたいと願った秦氏の試みが反映していると考えます。

　秦氏の遠い先祖が作った**エルサレム**（**Jerusalem**）の都を、京都にも実現したいと思い、京都に移り住んでいた秦氏は、桓武天皇の平安京建設に協力したのではないかと、日ユ同祖論者は主張しています。というのは、エルサレムは平安なる都の意味で、京都の平安京と意味が一致しているからです。

　旧約聖書（**Old Testament**）によると、**ノアの箱舟**（**Noah's ark**）が**アララト山**（**Mt. Ararat**）に**漂着**（**drift ashore**）した日が7月17日で、イスラエルでは人類救いの日とされ**シオン**（**Zion**）の祭が行われるが、日本では、祇園祭の日となっています。シオン祭が、時代とともに音が変化してギオン祭となったと、同祖論では考えています。

p190の日本語訳

😊 日本に初めて来た外国人は誰ですか。
🧒 太古の昔だと、朝鮮半島から渡ってきた渡来人ですね。この点では秦という氏は有名で、京都に住みつき、794年の平安京建設に協力的だった渡来人です。
😊 日本にはじめてやってきた西洋人は誰ですか。
🧒 1543年に鉄砲を伝えたポルトガル人が歴史に残っています。でも、それよりも前に誰かが来ている可能性はありますが…。その後、1549年にキリスト教の布教のためにスペイン人宣教師のフランシスコ・ザビエルが日本にやってきました。

6章

87 てるてる坊主は誰が作ったの？

2-26

Who created *Teruterubozu*?

Who created *Teruterubozu*, you know, the charm that supposedly brings good weather?

Teruterubozu came to Japan in the Edo period as a Chinese custom. Originally in China, when they had many rainy days on end, they hung a doll of a girl dressed in red with a broom in her hands under the eaves. The broom was meant to sweep away the rain clouds.

Was it really a girl? The Japanese *Teruterubozu* is a male, isn't it?

Yes. It was named *Teruterubozu* after a monk in order to gain people's trust. Because most "bozu," or monks, are men, they are made to look like boys.

- ☐ charm 名 お守り
- ☐ supposedly 副 たぶん

- ☐ have many rainy days on end 雨がずっと続く

- ☐ eave 名 軒

- ☐ X is named Y after Z XがZにちなんでYと名付けられる 👍

- ☐ be made to V 無理にVさせられる

日本人にはちょっと意外な "**不思議**"

日本の"アレ"を英語で言ってみよう！

「てるてる坊主」
a paper doll to pray for fine weather

「招き猫」
a beckoning cat / a figure of a cat with one paw raised

「狛犬」
a pair of stone guardian lion-dogs

「だるま」
a Japanese tumbler

「雛人形」
a doll displayed at Girls' Festival

深掘り！JAPAN！

- 坊主は素晴らしい人間の原型（A priest is an archetype of a wonderful person）で、この反対の人を「ぼう・ず」を**ひっくり返して**（to invert）「ず・ぼう」と呼び、その後、「ら」という**接尾辞**（suffix）がついて「ずぼうら」➡「ずぼら」が生まれました。

- 山が**ご神体**（divine body）であったとしても、そこへ行かないとお祈りできないので、太古の人は自分の村に神社を求め、祭りには、その神社から神様を**お神輿**（portable shrine）に乗せて練り歩き、さらに、神様がいつも家にいることを望むようになり、**神棚**（Shinto altar）が発明され、最後にはいつも神様とともにあるように**お守り**（charm）ができました。つまり、「山 ➡ 神社 ➡ お神輿 ➡ 神棚 ➡ お守り」のように、神道の発展は、神様の入れ物の縮小化の歴史と言えます。

CHECK 人形の宗教的意味による3分類

現代的には、人形は玩具として用いられますが、過去には宗教的意味がありました。宗教的にも3種類に分かれます。

人形の種類	役割	具体例
祓いの人形	自らの罪・ケガレを退散させる	雛人形
縁起物	福を得る、良い願いをかなえる	だるま、招き猫、七福神
呪いの人形	人をのろうことを主目的とする	藁人形

p.192 の日本語訳

😊 てるてる坊主、つまりよい天気をもたらすと考えられるお守りのようなものを誰が考えたの？

🧑 てるてる坊主は、中国の風習が江戸時代に伝えられたものです。もともと、中国では、雨の続く日に、赤い服を着せ、箒（ほうき）をもたせた女の子の人形を作って、軒下につるす習慣がありました。箒は雨雲を掃除する意味で持たせたのです。

😊 女の子だったんですか。日本のてるてる坊主は男ですよね。

🧑 そうです。当時信頼の厚いお坊さんのイメージがついて、てるてる坊主と名付けられました。坊主は男性がほとんどなので、無理に男の子的にしているのです。

88 賭博って日本では合法なの?

Is gambling legal in Japan?

2-27

Is gambling legal in Japan?

There are five categories of gambling that one can partake in. The first group includes horseracing, boat racing, bicycle racing, and auto racing. Lotteries are included in the second category. The third category is made up of a type of pinball machine called pachinko as well as slots. The fourth one is mahjong and card games. The last type is online gambling. Of all these only the first and second categories are legal. The others aren't legal, but because they occupy a kind of gray zone, it's difficult to prosecute people who engage in them.

- partake in ～
  ～に加わる
- bicycle racing
  競輪
- lottery 名 宝くじ
- mahjong 名 麻雀
- prosecute
  動 起訴する
- the Entertainment Establishments Control Law
  風俗営業取締法(風営法)
- prize exchange booth
  景品交換所

Isn't pachinko illegal?

The Entertainment Establishments Control Law prohibits the handing of money inside a pachinko hall and the purchase of the items from players who win them as prizes. That's why there's usually a prize exchange booth outside the building.

日本人にはちょっと意外な **"不思議"**

日本の"アレ"を英語で言ってみよう❗

賭博のゲーム道具による分類
- ①サイコロ　　　die; dice
- ②トランプ　　　cards
- 　花札　　　　　Japanese playing cards
- ③ルーレット台　roulette board
- ④パチンコ台　　pachinko machine
- 　スロット　　　slot machine
- ⑤その他　麻雀　mah-jongg
- 　　　　　将棋　Japanese chess

ばくちに関する表現
- 「大ばくちを打つ」　gamble heavily; play for high stakes
- 「ばくちで身を滅ぼす」　gamble away one's fortune; gamble oneself out of house and home

深掘り❗JAPAN❗

- 2014年で、競馬は890万人、麻雀は870万人、将棋は850万人とほぼ同じ人口の余暇活動となっています。

- 平成の初めごろパチンコ人口は3000万人、売上30兆円（1年間の国家予算の3分の1）だったのに、2013年には970万人、売上18兆円と劇的に減っています。これを英語にすると次のようになります。

In the early years of the Heisei era, 30 million people were regular pachinko players and profits amounted to 30 trillion yen, which was a third of the nation's annual budget. However, as of 2013 these numbers dropped dramatically to 9.7 million and 18 trillion yen respectively.

- ▫amount to ～　～という数値になる
- ▫dramatically　副 劇的に
- ▫a third of ～　～の3分の1（＝ one third of ～）

p.194 の日本語訳

😊日本で賭博は合法ですか？

😊日本では、人が参加できる賭博に5系統があります。1つ目、競馬、競艇、競輪、オートレース、2つ目、宝くじ、3つ目、パチンコとパチスロ、4つ目、麻雀やカードゲーム、最後にオンライン賭博です。このうち、1つ目と2つ目のみ合法、後は合法ではないが違法とも言えないグレーゾーンです。それらに関わっているからと言って起訴は困難です。

😊じゃ、パチンコは違法じゃないの？

😊風営法で、ホールから現金を渡したり、客に渡した景品を逆に買い取ったりするのが違法です。だからホールとは別に景品交換所があるのです。

日本案内で使える！
英会話フレーズ大特訓

1 鯛の姿焼は結婚式などめでたい折りにぴったりのもので、そのため、結婚披露宴などにはよく出されます。
▶ X is suited to Y
XはYに適している

2 五十音のそれぞれの音は不思議な力を発揮すると古くから信じられています。
言語のそんな側面は「言霊」と呼ばれています。
▶ It has been long believed that ～
～ということが古くから信じられている

3 鏡餅には深い象徴的意味があります。
▶ be steeped in symbolic meaning
深い象徴的意味がある

4 （人は）小さい方のお餅をもう一方に乗せます。
▶ put one on top of the other
2つ重ねる

5 薬師如来は奈良時代には人気を博しました。
▶ gain popularity
人気を博する

6 「すみません」の使用は相手にしてもらったことに対して感謝したいときには、通常問題ありません。
「すみません」という表現は、どんな立場の人にでも使えます。
▶ X is generally okay.
Xは通常問題ない。

7 オシホミミは、正式名称である正勝吾勝勝速日天忍穂耳命（マサカツアカツカチハヤヒアメノオシホミミノミコト）の短い言い方です。
▶ X is a shortened way of saying Y.
XはYの短い言い方である。

8 人は神様の気を引くために神前で2回拍手するというのは俗説ですが、もっと正確に言うと、柏手という行動は神様の魂を震えさせることで、参拝者に神聖なエネルギーを与えるのに十分なほど、神が喜ぶのです。
▶ more accurately
もっと正確に言うと

🔊 2-28

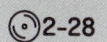

ここからは、本編で🔊のマークが付いている、日本案内で特に使える英語表現をおさらいする意味もこめて、日本語→英語の瞬間英作文トレーニングをしましょう。例文はすべて「ニッポン」にまつわることなので、覚えてしまえば実地ですぐに使えて"超オトク"です !!

A sea bream grilled whole is suited to auspicious occasions like wedding; therefore, it is often served at a wedding reception.

- X grilled whole (Xの姿焼) は X grilled so that it retains its original form ということ。wedding reception は「結婚披露宴」。

It has been long believed that each sound of the Japanese syllabary exercises its miraculous power.
This aspect of Japanese is called *Kotodama*.

- the Japanese syllabary は「五十音」で、exercise ... power は「…の力を発揮する」。
- なお、言霊の影響の例として、「閉じる」はマイナスに響くので「閉会」を「お開き」と言ったり、関西では、「お刺身」の「刺す」はマイナスイメージなので、「お造り」と言う。

Kagami-mochi is steeped in symbolic meaning.

- be steeped in ... は、「①ものに深く～がしみ込んでいる②人が～に没頭している③人が～に精通している」の3つの意味がある。

People put the smaller rice cake on top of the other.

- 「重ねる」の一般語は pile。きちんと重ねる場合は stack、乱雑に重ねる場合は heap が用いられる。

Buddha of Medicine gained popularity in the Nara period.

The use of *Sumimasen* is generally okay when you want to thank the other party for something he or she has done for you.
The expression *Sumimasen* can be used to anyone whatever status he or she is in.

- 「ありがとう」は目上の人には使えない。目上の人には「ありがとうございます」と言わないといけない。

Oshihomimi is a shortened way of saying *Masakatsu-akatsu-kachihayahi-Ameno-Oshihomimi-no Mikoto*, which is the official name of the deity.

- 日本の神様の名前は長いが、たいてい、属性 (attribute) と名前 (name) と神号 (divine title) の3部に分かれる。つまり、属性 (特記正勝吾勝勝速日) ＋所属 [天] ＋名前 (忍穂耳) ＋神号 (命) =「正に勝った、我勝った、勝つのが日のごとく速かった、高天原のオシホミミという尊い神」ということ。

People clap their hands twice in front of a Japanese deity to attract the attention of the deity, which is a popular explanation, but more accurately, the act of clapping our hands is to vibrate the soul of the deity so that the deity will be happy enough to give divine energy to the worshippers.

- to be more exact でもOK。

9	彼女の性格は家風に合っていません。	▶ conform with 〜 〜に合っている；〜に適ったものである
10	何でも好きな具を入れることができる点で、日本のお好み焼きは西洋のピザに似ている。	▶ be similar to 〜 〜に似ている
11	簡単に訳せば Octopus ball となる「たこ焼き」は、タコが中に入った団子のようなものを指し、一方、直訳するとSea bream pancake となる「たい焼き」は、餡が詰まった、タイの形をしたパンケーキです。	▶ refer to 〜 〜を指す；〜を意味する
12	雑煮に用いられる具は、地域によってさまざまです。	▶ vary from A to A Aによって異なる
13	禅宗では、食べるときに話をすることはよくない。	▶ It is not good to V Vするのはよくない ※ no good を用いる場合は「全然よくない」の意。
14	不動明王は大日如来の化身の典型です。	▶ X is the archetype of Y. XはYの典型である。；XはYを代表する存在だ。
15	鏡餅は2つのお餅からなっていて、小さい方がもう一方の上に乗せてあります。	▶ consist of 〜 〜から成る；構成される
16	南大門は仏教寺院に属しています。	▶ belong to 〜 〜に属する
17	思金神（オモイカネノカミ）の考えは成功裏に終わりました。というのは、アマテラスをうまく岩戸から連れ出すことができたからなのです。	▶ result in 〜 〜をもたらす
18	神道の視点から言うと、大笑いをするという行為は、「魂振り」という神様の魂を振るわせる方法として機能すると言えます。	▶ from the 〜 perspective 〜の視点から
19	その観光ガイドは、日本の真の姿を説明することに身をささげています。	▶ A (人など) is dedicated to Ving AはVすることに身をささげる

🔊 2-29

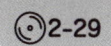

Her character does not conform with the family tradition.

The Japanese *Okonomiyaki* is similar to the Western pizza in the sense that you can put any ingredient that you like in it or on it.
- in the sense that ... は「…という意味で」。なお、文の最後の in it はお好み焼きの場合、on it はピザの場合。

Takoyaki, whose simple translation is "Octopus ball," refers to a dumpling which has a piece of octopus in it, while *Taiyaki*, which literally means "Sea bream pancake," is a pancake in the shape of a sea bream filled with bean jam.

The ingredients used for *Ozoni* vary from region to region.

According to the teaching of the Zen sect of Buddhism, it is not good to talk when you eat.
- 「三黙堂」（＝3つの黙っていることが求められるお堂）があり、それは食堂（じきどう：dining room）、禅堂（meditation hall）、浴室（bathroom）の3つを指す。

Fudo-myooh is the archetype of an incarnation of Dainichi Buddha.
- 不動明王は大日如来の化身と言われているが、大日如来は、宇宙（＝森羅万象）そのもので全ての如来を統括する如来と言われ、Dainichi Buddha = Buddha of the universe = Buddha of Buddhas と表せる。この考えの元、釈迦や阿弥陀等の如来も大日如来の化身とする考えもある。

Kagami-mochi consists of two rice cakes, the smaller one on top of the other.

Nandaimon, or the South Great Gate, belongs to a Buddhist temple.

Omoikane-no-kami's ideas resulted in success because Great Sun Goddess was successfully taken out of the Celestial Cave.
- 智恵の神である思金神が色々と計画し、岩戸に隠れたアマテラスを引っ張り出すことに成功したという場面が日本神話にある。

From the Shinto perspective, we can safely say that the act of having a good laugh functions as a method of vibrating the soul of a Japanese deity called *Tamafuri*.

The tourist guide is dedicated to giving a true picture of Japan.

20	中国の獅子像は日本の狛犬に似ています。しかし、この両者は、中国の獅子像が両方とも口をあけているのに対し、日本の狛犬は片方が阿形（あぎょう）、もう一方が吽形（うんぎょう）であるところで異なっています。	▶ similar to ~ ～に似ている
21	伊勢神宮はアマテラスを祭っています。	▶ A（建物など）is dedicated to B（神仏）= B is enshrined in A. AにBが祭られている。
22	神社の拝殿は、最も重要な神殿の前に位置しています。	▶ lie + 前置詞 ～に位置する
23	神殿は鳥居のまっすぐ前に位置していません。つまり、参道は意図的に少し曲げてあるのです。	▶ lie + 副詞 ～に位置する
24	私は日本神話に関する面白い側面について耳にしたことがあります。	▶ hear of ~ ～のことを（間接的に）聞く
25	秀吉は兵農分離のため、いわゆる刀狩を考え出しました。	▶ come up with ~ ～を考え出す
26	何でも東京に一極集中しています。	▶ concentrate in 場所 場所に集まる
27	日蓮は法華経に集中しています。	▶ concentrate on 事 事に集中する
28	須弥壇（しゅみだん）に本尊を安置する際、四方の守護が原則です。	▶ the basic rule is to V Vするのが原則である
29	食べ物が異なると、それを入れる容器も異なります。	▶ different ...s --- for different ~s ～が異なれば…が異なる
30	国が異なれば習慣も異なります。	▶ different ...s --- have different ~s …が異なれば～が異なる

🔊 2-30

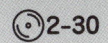

The images of lions in China are similar to those of *Komainu* in Japan.
However, one of the differences between the two lies in the fact that the Chinese lion images both have an open mouth, while one of the Japanese *Komainu* images has an open mouth, the other having a closed mouth.
- 阿形とは口をあけている形、吽形とは口を閉じた形。中国人は対称性（symmetry）を好むのに対し、日本人は、このよう非対称（asymmetry）を好む。ちなみにサンスクリットの最初の文字が「あ」で、最後の文字が「うん」と発音するので、「初めから最後まで守る」という解釈ができ縁起が良い。

Ise Grand Shrine is dedicated to Amaterasu.
- Amaterasu is enshrined in Ise Grand Shrine. でもOK。

The oratory of a shrine lies before its sanctuary, the most important part of the shrine.

The sanctuary does not lie straight ahead of the main gate, which means the approach is intentionally curved slightly.

I have heard of an interesting aspect of Japanese mythology.
- 〈hear O V〉なら「OがVするのを直接聞く」という意味。

Hideyoshi came up with the so-called sword hunt decree to separate warriors and peasants.

Everything concentrates solely in Tokyo.

Nichiren concentrates on the Lotus Sutra.
- center on ... や focus on ... でもOK。

When it comes to placing the main object of worship on its dais, the basic rule is to protect four directions.
- the main object of worship は「本尊」で、dais は「須弥壇」。
- 東・南・西・北の方角をそれぞれ、持国天（じこくてん）・増長天（ぞうちょうてん）・広目天（こうもくてん）・多聞天（たもんてん）を安置して守る。覚え方は、トンナンシャーペーの方角に「地蔵買うた（じぞうこうた）」！

People use different containers for different foods.
- 日本料理で器が色々あることに関する説明の1つ。

Different countries have different customs.
- Different ...s have different 〜s は「…が異なれば〜も異なる」の意味。

31	神道では悪霊を追い払うことができる4つのものが存在します。それは塩、火、水、そして幣（ぬさ）です。	▶ drive away　追い払う
32	その陰陽師（おんみょうじ）は、その幽霊屋敷から悪霊を払いました。	▶ exorcise　悪魔払いをする
33	空海によって唐のある港から投げられた三鈷杵（さんこしょ）が日本で落ちたところを、金剛峯寺の正式の建設位置とみなしたという伝説があります。	▶ Legend has it that ～. 伝説では～ということである。
34	ある説では、日本の古代における渡来人である秦氏（はたし）は、西アジア、さらにはローマから来たとされています。	▶ One theory says that ～. ある説では～ということである。
35	お箸によって我々は、焼き魚を効果的そして効率的に食べることができます。特に魚に骨が付いたままの場合にはそう言えます。	▶ X allows O to V XはOがVすることを可能にする
36	今日でさえ、お正月の期間が終わると、鏡餅を手か木槌で割る習慣が残っています。	▶ Even today there remain ～. 現在でも～が残っている。
37	鏡餅を構成している2つの餅のうちの大きい方が太陽の象徴で、もう一方は月の象徴です。	▶ One is ～, the other being …. 一方は…で、もう一方は～である。
38	「くまどり」は、歌舞伎役者の表情を生き生きとしたものにします。	▶ give vitality to ～ ～を活性化する；～を生き生きしたものにする
39	想像力を十分に働かせて石庭を鑑賞すべきです。	▶ give full play to ～ ～を十分に働かせる
40	十両と幕下が天国と地獄の差であると言われる理由が分かりました。	▶ Now I understand why SV ～. SがV～する理由が今分かりました。

◉2-31

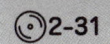

In Shinto, there are four things that can **drive away** evil spirits: salt, fire, water and plaited white paper streamers.
- send away や turn away や fight off、repel、oust でもOK。

The Japanese sorcerer **exorcized** an evil spirit from the haunted house.

Legend has it that Kukai regarded the spot where the trident vajra thrown by Kukai from a port in the Tang Dynasty of China fell in Japan as the formal construction location of Kongobuji Temple.
- trident vajra は「三鈷杵」、Tang (Dynasty) は「唐」。なお、regard A as B で、Aにあたる部分が長い場合は、regard as B A という形が可能。

One theory says that the Hata clan, who came to Japan from the Korean Peninsula in the ancient times of Japan, originated in Western Asia, or even in Rome.
- originate in ... は「～に端を発する；～が起源である」の意味。

Chopsticks **allow** us **to** eat broiled fish effectively and efficiently, especially when it contains bones.
- ナイフとフォークは肉料理に適しているのに対し、お箸は魚を食べるのに適している。

Even today there remains a custom of breaking the decorative rice cakes called *Kagami-mochi* with our hands or a wooden hammer after the New Year season is over.
- 鏡餅には歳神の魂が宿っており、餅に包丁などの刃を入れるのは、切腹をイメージするので、忌み嫌われる。

The bigger **one** of the two rice cakes *Kagami-mochi* consists of **is** a symbol of the sun, **the other being** a symbol of the moon.

Gorgeous makeup **gives vitality to** Kabuki actors' facial expressions.

We should view a rock garden by **giving full play to** your imagination.
- 日本語の「十分働かせる」は英語では full play に相当している。

Now I understand why *Juryo* and *Makushita* are said to be poles apart.
- poles apart は「北極と南極ほど離れている」の意味から「両極端」の意味に派生。worlds apart でもOK。

41	落語において、ジョークやしゃれの後の少しの間には、何らかの意味があります。 その間がなかったら、笑いは起こりません。	▶ X carries some significance Xには何らかの意味がある
42	能が静かでゆっくりであるのに対し、歌舞伎は激しく強調的です。 ダンスの違いが、この2つの芸術が異なるところを明確にしています。	▶ highlight where ~ diverge ～の異なる部分を明らかにする
43	風鈴はその金属音を通して、涼しい雰囲気を作り出す役割をする夏の風物詩です。	▶ function as ~ ～として役立つ
44	ゴータマブッダ(釈迦)が生まれた直後に7歩歩いたという伝説には、何か意味があると何となく感じます。	▶ kind of 何となく；ある種
45	十三仏のどの仏像も、同じ重要性を有します。	▶ any one of Xs Xのどれも
46	仏像の説法印は、お金を表す指で作るしぐさを思い出させます。	▶ reminiscent of ~ ～を思い出させる
47	新たな大名が台頭すると、以前の強力な大名は没落しました。	▶ come to power 台頭する
48	A：絵馬は願かけに用いられる木製の板です。 B：それについてもう少し具体的に言ってくれますか。 A：分かりました。それは馬の絵が描かれた板で、願い事を書くために、神社やお寺でもらえます。	▶ votive 願掛けの ▶ Would you ~? ～していただけますか。
49	シーボルトは西洋医学の最新情報を伝えました。	▶ report 報告する；報道する

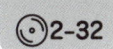

A little pause after a joke or pun at the traditional story-telling carries some significance.
If it were not for the pause, laughter would not occur.

Noh is quiet and slow, while Kabuki is hard and intense.
The difference in dancing highlights where the two art forms diverge.

- ●〈文1, while 文2〉の構造に注意。「文1である一方、文2である」の意味。

Furin is a Japanese summer reminder that functions as a cool atmosphere creator through its metallic sound.

- ●a Japanese summer reminder は「日本の夏の風物詩」、metallic は「金属の」。

I kind of feel that there is some significance in the legendary description that Gautama Buddha walked 7 steps immediately after he was born.

- ●「7歩歩いた」という意味は、6つの迷いの世界を克服することを、6より1つ多い7を用いて表したと言われている。

Any one of the thirteen Buddhist images is of the same importance.

- ●anyone of them は間違い。any と one を離す。つまり、every one of them はOKだが everyone of them はNG。そして nobody of them はダメだが、no one of them と none of them はともにOKである。

The preaching hand symbol of a Buddhist image is reminiscent of the gesture made by fingers meaning money.

- ●説法印は右手の親指と人差し指で輪をつくり、左手の親指と中指で輪を作る。右手のしぐさが、日本人が、お金を表すのと同じ形。世界的にはOKの意味。

After new lords came to power, the previously powerful lords fell behind.

- ●戦国時代の状況を表した英文。
- ●「台頭する」は come to the fore、gain power、raise one's head などとも言える。

A: *Ema* is a votive wooden tablet.
B: Would you be more specific about it?
A: OK, it is a tablet with a picture of a horse on it, which you can get at a shrine or temple so that you can write your wish on it.

Siebold reported on current information on western medicine.

50	さっと見た感じでは、釈迦如来像は薬師如来像と同じふうに見えますが、後者（＝薬師如来）は左手に小さな薬壺（やっこ）を持っています。	▶ At quick glance X looks kind of the same as Y. さっと見た感じでは、XはYと同じふうに見える。
51	小泉八雲はかつて、新聞記者を務めていました。	▶ report 記者を務める
52	平田信と名乗る男が警察に出頭しました。	▶ report to ~ 〜に出頭する
53	「結構です」という日本語表現は、「いらない」を意味することが一番多いです。	▶ X is used most often to mean ~ Xという言葉は〜を意味することが一番多い。
54	目上に対し「すみません」という表現を用いる理由は、その表現を使う方が、同じ感謝を意味する「ありがとう」よりも丁寧だからなのです。	▶ The reason we use ... is because ~. ...を使う理由は〜だからです。
55	神様への尊敬の印として、拍手を2回します。	▶ as a mark of ~ 〜の印として
56	彼は自らの肖像画のためにポーズをとりました。	▶ pose for ~ 〜のためにポーズをとる
57	写真を撮ってあげるから、窓の脇でポーズをとってくれない？	▶ pose ポーズをとる
58	カメラマンはその女性のモデルに注意深くポーズをとらせました。	▶ pose ポーズをとらせる
59	赤ん坊に名前を付ける際に占いを重視すると日本人が言うのを耳にすることは、あり得ないことではないでしょう。	▶ It wouldn't be too far-fetched to V. Vすることはあり得ないことではないだろう。
60	あの世でどのような待遇を受けることになるのかは、この世でどんな行動をしてきたかによって、天国と地獄の差があります。	▶ X can be either A or B depending on Y. XはYによってAでもBでもありうる。

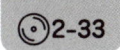

At quick glance an image of Gautama Buddha **looks kind of the same as** that of the Buddha of Medicine; however, the latter holds a small medicine box in his left palm.

- Gautama Buddha は「釈迦如来」、Buddha of Medicine は「薬師如来」。如来（Buddha）は悟った存在で、他にも阿弥陀など色々な如来があるが、薬師如来は薬壺を持っているのが特徴。薬師のみ如来の中で物を持っている。

Koizumi Yakumo once **reported** for a newspaper company.

A man who gave his name as Makoto Hirata **reported** to the police.

The Japanese expression "Kekko-desu" **is used most often to mean** "No thank you."

- 「結構ですね」と言えば、「いる」を意味する可能性が大きい。

The reason why **we use** the expression *Sumimasen* for our superiors **is because** it is more polite for us to use it than to use *Arigato*, which also means thank you.

- a person who outranks one（自分より上のランクの人）という表現でも「目上」を表せる。more polite は politer でもOK。

We clap our hands twice **as a mark of** respect for the deities.

- 拍手1回では少なく、3回では多すぎるとして、2回がよいと発想する。

He **posed** for his portrait.

- pose には「ふりをする」という意味もあり、He posed as a rich man.（彼は金持ちのふりをしていた）のように言える。

I'll take a picture of you, so will you **pose** by the window?

- pose には「気取る」という意味もあり、She is always posing.（彼女はいつも気取っている）のように言える。

The photographer **posed** the woman model carefully.

- 〈pose ＋人〉で「人にポーズをとらせる」。a woman model は「女性のモデル」、a model woman は「模範の女性」。

It wouldn't be too far-fetched to hear Japanese say they place emphasis on fortune-telling when it comes to naming their baby.

- it は to V を指す仮主語構文で、too ... to V（…過ぎてVできない）の構文ではない。

How you will be treated after death **can be either** bliss **or** a torture **depending on** what kind of deed you have been doing in this world.

- 仏教における因果（cause and effect）の法則の例で、この世の行いが来世の状況を決定するとしている。来世で「福（happiness）」を得たいなら、この世で「徳（virtue）」を積むことが重要だと教える。

| 61 | 日本人は、本音と建前の区別を重要なものと考えます。 | ▶ place significance on ~
〜を重視する；〜を意義深いものと考える |

| 62 | 妻が財布のひもを握っている事実が、かかあ天下を生み出す原因となっています。 | ▶ X contributes to Y.
XがYの原因となる。；Xの結果としてYとなる。 |

| 63 | 「受験地獄」という言葉が象徴する、現代の日本の長年にわたる教育状況が、低いレベルの受験生を、勉強面で不利な状況に追いやっています。 | ▶ put ... at a ~ disadvantage
…を〜的に不利な状況に追い込む |

| 64 | 神道はケガレを払うことにより、みそぎを行うことを重視します。 | ▶ place emphasis on ~
〜を強調する |

| 65 | 鳥居をくぐるとき、左側を通るのがよいと思われます。
我々にとってはこの左側は上位で、神々からみると下位になります。
一般に、左側にある空間は上手（かみて）、右側の空間は下手（しもて）なのです。 | ▶ It seems to be better if ~.
〜したらよいと思われる。 |

| 66 | 日本人は食べる前に「いただきます」と言います。
仏教の命を大切にするという考え方が、このことの背景にあるのです。 | ▶ X is behind this.
Xがこの背景にある。；これについてはXが見え隠れする。 |

| 67 | 日本人が血液型に興味がある理由は容易に想像できます。なぜなら彼らは、血液型が人の未来や性格を決定すると思う傾向があるからです。 | ▶ It's not hard to imagine why ~.
〜する理由は容易に想像できる。 |

| 68 | 大阪人の「お好み焼き定食好き」の訳は想像に難くありません。
私がこう言える理由は、彼らは「うどん定食」も好きだからです。 | ▶ It's not hard to imagine why ~.
〜する理由は容易に想像できる。 |

| 69 | 日蓮の考えは法華経に基づいています。 | ▶ be based on ~
〜に基づいている |

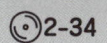

Japanese **place significance on** the division of what they think and what they actually say.
- what they think (本音)→ what they actually say (建前)
- what they say (建前)→ what they really think (本音)

The fact of the wife holding the purse strings **contributes to** her wearing the pants in the family.
- wear the pants は「(妻が)夫を尻に敷く」つまり「かかあ天下」の意味。

The present Japan's long-standing educational situation symbolized by the word "examination hell" **put** many low-level examinees **at an** academic **disadvantage**.

Shintoism **places emphasis on** performing religious purification ceremonies by driving away defilements.
- lay [put] emphasis on ...でもOK。神道で「みそぎ」は重要で、だからこそ何重にもみそぎが行われている。例えば、手水舎 (water pavilion) で手を洗い口をすすいだ後も、拝殿 (oratory) の前で鈴を鳴らし、邪悪なものを退散させる (drive away evil)。

When we go through the torii gate, **it seems to be better if** we pass to the left side of the gate.
To us this side will be the higher direction, while to deities it will be lower.
Generally speaking, the space on your left is higher, the one on your right being lower.

Japanese people say *Itadakimasu* before eating.
The Buddhist idea of treasuring life **is behind this**.
- 「大切な命をいただく」という気持ちの表明が「いただきます」となった。

It's not hard to imagine why Japanese are interested in blood types, because they tend to think blood type determines a person's future or character.

It's not hard to imagine why people in Osaka like eating *Okonomiyaki,* or Japanese counterpart of a Western pizza, with a bowl of boiled rice, which is called *Okonomiyaki-teishoku* in Japanese.
The reason I can say this is because they also like eating noodles with a bowl of rice called *Udon-teishoku*.

Nichiren's ideas **are based on** the Lotus Sutra.
- the Lotus Sutra は「法華経 (正確には、妙法蓮華経)」。

70	神道では、日本の神々は占いに頼る傾向があります。	▶ rely on ～　～に頼る
71	禅宗では、お寺のトイレも、お寺の七堂伽藍の1つとして分類されます。	▶ be classified as ～　～として分類されるとしてYとなる
72	日本の庭は、3つのカテゴリーに大雑把に分類することができます。築山庭、枯山水、および茶庭です。	▶ be classified into ～　～に分類される
73	日本人はたくさんの仏教寺院が建設され始めたとき、神道の神々に対してユニークな見方をするようになりました。	▶ have one's own unique take on ～　～に対し独自の見方をする
74	鯛焼きは、あんが詰まったタイの形をしたパンケーキです。その形を見たら、この食べ物が鯛焼きと言われることが明らかです。	▶ It is evident that ... when you look at ～.　～を見れば…であることが明らかである。
75	A：たこ焼きはタコの形をしていません。タコの一部を含んでいます。 B：つまり、その主な具がタコなので、たこ焼きと言われるということですか？	▶ Does this mean that because ..., ～ ?　…だから～だということですか？
76	宇宙の概念において、仏教はキリスト教とは根本的に異なっています。	▶ completely [entirely / totally] different　全く異なる
77	宗教的な観点から言うと、伝統的な人形は3通りに信仰に関係していました。	▶ in X different ways　X通りに
78	日本語の挨拶の言葉「どうも」は曖昧のようです。その言葉の持つ典型的な意味の1つは「ありがとう」だと思います。 他にどんな意味がありますか？	▶ What else does it mean?　他にどんな意味があるのか？

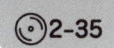

In Shinto, Japanese deities tend to rely on fortune-telling.
- fortune-telling は「占い」。例えば日本神話では、日本を生んだとされるイザナギとイザナミの最初の子、ヒルコは足が立たない状態で生まれてきた。これは何故なのか高天原の神様に聞くと、その神様は占いをして答えを出した。日本の神は、西洋の神やギリシャ神話の神々とは異なり、自分で答えを出さない。

In Zen Buddhism, the rest room in a temple can be classified as one of the seven important buildings of the temple.
- 禅において残りの六堂は、三門 (main gate)、仏殿 (Buddha's hall)、法堂 (lecture hall)、禅堂 (meditation hall)、食堂 (dining room)、浴室 (bathroom)。

Gardens in Japan can be roughly classified into three categories: a garden with artificial hills, a dry landscape garden and a tea garden.
- 築山庭は pond and plant garden、枯山水は rock and sand garden とも言える。

Japanese came to have their own unique take on Shinto deities when many Buddhist temples began to be built.
- 実際にお寺を建てるとき、その土地の (神道の) 神様に対し、社 (やしろ) を立ててお祭りし、その神様にお寺を守ってもらうという発想を持つようになった。

Taiyaki is a sea bream-shaped pancake filled with bean jam. It is evident that this food is called Taiyaki when you look at its shape.

A: Takoyaki is not in the shape of an octopus, Tako in Japanese. It contains a bit of octopus meat.
B: Does this mean that because its main ingredient is octopus meat, it is called Takoyaki?

Buddhism is completely different from Christianity in the concept of the universe.
- キリスト教では、宇宙は神が創造 (create) したもので、仏教では初めから存在 (exist) するものとされる。

From the religious point of view, traditional dolls were related to religious faith in three different ways.
- ケガレを流すため (to purify ourselves) の人形 (流しびな等)、魔よけの機能を持つ (to drive away evil spirits) 人形 (だるま人形等)、そして、呪いのため (to put a curse on someone) の人形 (わら人形等) の3つの人形に分類できる。

The Japanese greeting Domo seems to be ambiguous. I think one of the typical meanings it has is "thank you." What else does it mean?
- 「どうも」は、謝罪の気持ちを強調する場合 (「それはどうも失礼しました」)、軽い気持ちの挨拶 (「やあ、どうも」)、そして、挨拶以外でも、満足できない気持ちを表す場合 (「どうも納得できない」)、はっきりわからない気持ちを表す場合 (「物理学はどうも苦手だ」)、漠然とした推測をする場合 (「どうも雨になりそうだ」) に使える。

#		
79	「シンプルの美」は枯山水庭園を説明するのにぴったりの言葉です。	▶ the best way to describe ~ 〜を説明するのにぴったり
80	この2つのもの、岩と砂は、星と宇宙空間、更には骨と皮を表すという解釈も可能です。	▶ can be interpreted as ~ 〜として解釈することもできる
81	「静かな優美さ（＝わび）」は、茶道の精神の説明にぴったりです。	▶ the best way to describe ~ 〜を説明するのにぴったり
82	日本人の中には見られていなければ望ましくないことでもしてしまう人がおり、そんな傾向があるのは、人に対する意識が3種類あることと確実に関係があります。その3種類の意識とは、うち、そと、よそです。	▶ X shows a strong commitment to Y. XはYとのかかわりを着実に示している。
83	料理の配色（彩り計画）は、日本料理の特徴です。	▶ X is characteristic of Y. = Y is characterized by X. XはYの特徴だ。
84	電車で寝ることができる事実は、実際、日本が安全である証拠なのです。	▶ X is actually a testament to Y. Xは実際Yの証である。
85	日本の神道の稲荷系の神社の数は、約3万社あります。	▶ number at ~ 〜という数になる
86	統計によれば、日本の仏教徒は日本の総人口の8割を占めています。	▶ account for ~ 〜という率を占める
87	日本人はお風呂に毎日入るのを好みます。 これにより、日本人はきれい好きであることが分かります。	▶ This is proof that ~. これは〜であることの証明になる。；これで〜が分かる。；これが〜を物語る。
88	彼らはまた湯船につかるのを好みます。 これは、入浴を体を洗う以上のものであると考えていることを物語っています。 お風呂に入ることは、リラックスやリフレッシュの一環なのです。	▶ This is proof that ~. これは〜であることの証明になる。；これで〜が分かる。；これが〜を物語る。

◎2-36

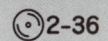

"Beauty in simplicity" is the best way to describe a dry landscape garden.

The two ingredients, rocks and sand, can be interpreted as stars and space, or bones and skin respectively.

"Quiet elegance" is the best way to describe the spirit of the tea ceremony.

The tendency of some Japanese to do something undesirable when not seen by others shows a strong commitment to their having three different kinds of consciousness toward people, which are called uchi, or closely related, soto, or somewhat related, and yoso, or completely unrelated.

The color scheme of the cuisine is characteristic of Japanese cooking.
- We eat Japanese dishes through eyes. (日本料理は目で食べる) と言われるほど、見た目が重視される和食。食材の色や形だけでなく器の色や形も大切。きれいな食品サンプル (food sample) を店の前に出すことなどは日本人ならではの発想。また季節ごとに特有の色があり、料理の世界で季節感 (seasonal tastes; keen sense of four distinct seasons) を出すことも、「日本料理は目で食べる」と表現される理由。

The fact that we can sleep on the train is actually a testament to Japan's safety.

The shrines belonging to the Inari group of Japanese Shinto number at about 30,000.
- 主要な神社 (=本社) の中にある摂社や末社等を含めると、30万社はあると言われる。摂社 (secondary shrine) は本社の祭神に関係のある神を祭った神社で、末社 (tertiary shrine) は本社の祭神にあまり関係のない神やその土地の神を祭った神社。

Statistics say that Buddhists in Japan account for 80% of the total population in Japan.
- 神道系の信者は85％、キリスト教系の信者は1.7％、そのほかが9％と言われている。

Japanese like taking a bath every day.
This is proof that they love cleanliness.
- ケガレ (defilement) を好まない神道的発想と関係があると言われている。

They also like to soak in the bathtub.
This is proof that they consider bathing to be more than washing their bodies.
Taking a bath is part of relaxation and refreshment.

89	我々には握手の習慣がありません。	▶ We don't have the custom of Ving. 我々はVする習慣がない。
90	一般的に、口を一杯にしたまま話をするのは失礼ですが、西洋では、食べるときに話をすることが奨励されている側面があります。彼らは食べている間、だまっていないのです。	▶ It is impolite to do ~. ~することは失礼である。 ▶ keep quiet [=keep still] 静かにしている
91	八坂神社は神道と仏教の融合に見えます。なぜなら、明治以前は祇園社で、牛頭天王(ごづてんのう)が祭られていたからです。 牛頭天王は仏教の守護神なのです。	▶ look like an amalgamation of ~ ~を融合したものに見える
92	枚方(ひらかた)市は約40万人の人口を持つ市です。	▶ ~ with a X of ... ...のXを持つ~
93	日本は37万7900平方キロメートルの面積を有する国です。	▶ ~ with an X of ... ...のXを有する~
94	日本は2005年で1平方キロメートル当たり343人の人口密度を有しています。	▶ have an X of ~ ~のXを有している
95	あまり知られていないプチ情報ですが、日本は、2015年6月25日、リニアモーターカーの有人テスト運転で世界一を達成しました。	▶ for a relatively unknown bit of trivia あまり知られていないプチ情報だが
96	明治神宮は初詣客数が日本一です。	▶ rank +序数 ~位である
97	日本の起き上がりこぼしは、禅の創始者である菩提達磨(ぼだいだるま)の名前にちなんでダルマと名付けられています。	▶ X is named Y after Z. XがZにちなんでYと名付けられる。
98	鳩摩羅什(くまらじゅう)によって翻訳された法華経は、28章で構成されています。	▶ be made up of ~ ~で構成されている

2-37

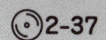

We don't have the custom of shaking hands.

Generally speaking, it is impolite to talk with your mouth full, but in the West, talking when eating is somewhat encouraged; they don't keep quiet while eating.

Yasaka Shrine looks like an amalgamation of Shintoism and Buddhism because it was Gion-sha before the Meiji era, where Gozu-tenno was enshrined.
Gozu-tenno is a guardian deity to Buddhism.

- 正確に言うと、祇園社は天台宗に属していたが、明治維新の廃仏毀釈により廃寺となり、八坂神社に強制的に改組された。そこに祭られていた牛頭天王（ごづてんのう）はスサノオ命と同一視された。本地垂迹説（manifestation theory）では、本地（original deity）が牛頭天王で、垂迹（derived deity）がスサノオということになる。

Hirakata City is a city with a population of about 400,000.

Japan is a country with an area of 377,900 km^2.

Japan has a population density of 343 people per square kilometer as of 2005.

For a relatively unknown bit of trivia, Japan established a world record in the speed of a test operation of a manned linear induction motor train on June 25, 2015.

- この日、2003年12月2日にマークした581km/hをしのぐ603km/hを達成したことをギネスが認定。

Meiji-jingu Shrine ranks first in the number of visitors in the New Year period.

- visitors in the New Year period は「初詣客」。visitors at the beginning of the year でもOK。

The Japanese tumbler is named Daruma after Bodhidharma, the founder of Zen Buddhism.

- tumbler は「起き上がりこぼし」。倒れても起き上がる人形は、面壁九年（壁に向かってひたすら9年間座る）で悟りを開いたという厳しい修行をした菩提達磨を連想させる。

The Lotus Sutra, which was translated by Kumarajiva, is made up of 28 chapters.

- the Lotus Sutra は「法華経」。be made up of ... は consist of ... や be composed of ... や comprise ... などでもOK。

◎ 参考文献

会田雄次（1972）『日本人の意識構造』（講談社現代新書）
安藤貞夫（1986）『英語の論理・日本語の論理』（大修館書店）
安西徹雄（1995）『英文翻訳術』（ちくま学芸文庫）
安西徹雄（2000）『英語の発想』（ちくま学芸文庫）
青木周平（2005）『古事記がわかる事典』（日本実業出版社）
別宮貞徳（2005）『日本語のリズム』（ちくま学芸文庫）
樋口清之（1984）『日本の風俗の謎』（大和書房）
平野仁啓（1982）『日本の神々――古代人の精神世界』（講談社現代新書）
ひろさちや（1986）『仏教とキリスト教』（新潮選書）
ひろさちや（1987）『仏教と神道』（新潮選書）
ひろさちや（1988）『キリスト教とイスラム教』（新潮選書）
池上嘉彦（1978）『意味の世界』（NHKブックス）
井上順孝（2006）『図解雑学 神道』（ナツメ社）
石井　敏（1990）「『福は内、鬼は外』――ウチとソト」124-5 『異文化コミュニケーションキーワード』（古田暁監修）有斐閣。
石井隆之（2002）『前置詞マスター教本』（明日香出版社）
石井隆之（2009）『日本の都道府県の知識と英語を身につける』（ベレ出版）
石井隆之（2009）「言語と経済性のメタ原理に関する一考察」『生駒経済論叢』第7巻第1号（近畿大学経済学部）
石井隆之（2009）「『重なり志向』の日本人」『言語文化学会論集』第33号
石井隆之（2010）「重なり志向と分かれ志向」『言語文化学会論集』第34号
石井隆之（2010）『日本の宗教の知識と英語を身につける』（ベレ出版）
石井隆之（2011）『キリスト教・ユダヤ教・イスラム教の知識と英語を身につける』（ベレ出版）
石井隆之（2015）「more thanと以上を考える」『言語文化学会論集』第44号
加地伸行（2011）『沈黙の宗教――儒教』（ちくま学芸文庫）
鹿島　昇（1985）『日本神道の謎』（光文社）
加藤尚武（1987）『ジョークの哲学』（講談社現代新書）
河合隼雄（1982）『中空構造日本の深層』（中央公論新社）
金田一春彦（1988）『日本語（上）』（岩波新書）
金田一春彦（1988）『日本語（下）』（岩波新書）
剣持武彦（1978）『「間」の日本文化』（講談社現代新書）
剣持武彦（1984）『「にじみ」の日本文化』（講談社現代新書）
小島寛之（2013）『世界は2乗でできている』（講談社ブルーバックス）

李御寧（2007）『「縮み」志向の日本人』(講談社学術文庫)
牧野成一（1996）『ウチとソトの言語文化学』(アルク)
松下井知夫他（1985）『コトバの原典』(東明社)
南　博（1983）『日本的自我』(岩波書店)
宮崎興二（1987）『プラトンと五重塔』(人文書院)
森三樹三郎（1971）『「名」と「恥」の文化』(講談社)
望月信成・佐和隆研・梅原猛（1965）『続仏像』(NHKブックス)
永田　久（1989）『年中行事を科学する』(日本経済新聞社)
永田美穂（2007）『仏教宗派がよくわかる本』(PHP研究所)
小野恭靖（2005）『ことば遊びの世界』(新典社選書)
大島　力（2010）『図解 聖書』(西東社)
大築立志（1989）『手の日本人、足の西欧人』(徳間書店)
織田正吉（1983）『ジョークとトリック』(講談社現代新書)
ライシャワー，E（2012）『JAPAN the story of a nation』［英文版］(Tuttle Classics)
西条慎之介（1995）『「あの世」の世界』(オーエス出版)
西条慎之介（1996）『「仏像」の世界』(オーエス出版)
佐藤猛郎（1992）『英語で紹介する日本——キーワード307』(創元社)
芝垣哲夫（1989）『日本文化のエトス』(創元社)
重松明久（1983）『日本神話の謎を解く』(PHP研究所)
清水馨八郎（1984）『手の文化と足の文化』(日本工業新聞社)
朱冠中（1988）『「切り志向」の日本人』(NESCO)
菅田正昭（1994）『言霊の宇宙へ』(タチバナ教養文庫)
鈴木秀夫（1978）『森林の思考・砂漠の思考』(NHKブックス)
多田　元（2012）『図解 古事記・日本書紀』(西東社)
武光　誠（1993）『日本の風習——つい喋りたくなる謎話』(青春出版社)
植田一三・上田敏子（2010）『英語で説明する日本の文化——必須表現グループ100』(語研)
山田久延彦（1995）『真説 古事記①』(徳間書店)
山田雅晴（1994）『古神道のヨミガエリ』(徳間書店)
山本　明（2011）『地図と写真から見える！古事記・日本書紀』(西東社)
柳瀬尚紀（1988）『英語遊び』(河出文庫)
吉田敦彦（1985）『天地創造神話の謎』(大和書房)
吉田敦彦（1990）『日本の神話』(青土社)
吉野裕子（1995）『日本人の死生観』(人文書院)
吉野弘子（1995）『だるまの民俗学』(岩波新書)

● 著者紹介

石井隆之　Ishii Takayuki

近畿大学総合社会学部教授。京都女子大学非常勤講師（通訳ガイド演習担当）。滋賀県立大学非常勤講師（通訳ガイド講座担当）。専門は理論言語学。日本人の多くが苦手とする前置詞や冠詞の用法に習熟していることで知られる。言語文化学会会長、通訳ガイド研究会会長を務める。主な著書は『魔法のイディオム』（Jリサーチ出版）、『英文ライティングの法則178』（明日香出版社）、『英語の品格』（三修社）、『キリスト教・ユダヤ教・イスラム教の知識と英語を身につける』（ベレ出版）など100点を超える。

カバーデザイン	根田大輔（Konda design office）
本文デザイン／DTP	アレピエ
CDナレーション	Howard Colefield
	Bianca Allen
	水月優希
本文イラスト	田中 斉
英文校閲	Joe Ciunci

本書のご意見・ご感想は、下記URLまでお寄せくださいませ。
http://www.jresearch.co.jp/kansou/

英語で説明！ 外国人が必ず聞いてくるニッポンの不思議88

平成28年（2016年）5月10日　初版発行

著　者	石井隆之
発行人	福田富与
発行所	有限会社 Jリサーチ出版
	〒166-0002 東京都杉並区高円寺北2-29-14-705
	電話 03(6808)8801(代)　FAX 03(5364)5310(代)
	編集部 03(6808)8806
	http://www.jresearch.co.jp
印刷所	㈱シナノ パブリッシング プレス

ISBN978-4-86392-281-5　禁無断転載。なお、乱丁・落丁本はおとりかえいたします。
©2016 Takayuki Ishii, All rights reserved.

本当にすぐに使える!! 英会話フレーズ集の決定版

世界中どこでも通じる
旅行・留学・ビジネスに

英語がとっさに口から出てくる!

カンタン　使える　基礎になる

世界一やさしい すぐに使える英会話 超ミニフレーズ300

山崎 祐一 著　定価本体:1,300円

CD付

5つの特長
① 1〜3語の短いフレーズなのですぐに覚えられる。
②「発音のヒント」でだれでも簡単に話せる。
③ フレーズはネイティブがよく使うものばかり。
④ 最重要60フレーズはダイアログで練習できる。
⑤ CDは聞いて、真似て、自分で話すのにぴったり。

言いたいことがパッと見つかり、サッと使える!

ネイティブととことん話し合った極限までの実用性

世界中どこでも通じる すぐに使える英会話 ミニフレーズ2500

宮野 智靖／ミゲル・E・コーティ 共著
定価本体:1,600円

CD2枚付

5つの特長
① 英文はすべてネイティブが厳選した実用表現
② すぐに使えるフレーズを2500以上収録
③ 例文は記憶に残りやすい短さ。覚えが早い。
④ 英語のセンスと応用力が身につく
⑤ CD2枚に見出しフレーズをすべて収録

---

http://www.jresearch.co.jp　Jリサーチ出版
〒166-0002 東京都杉並区高円寺北2-29-14-705
TEL03-6808-8801 FAX03-5364-5310

ツイッター公式アカウント @Jresearch_　アドレス https://twitter.com/Jresearch_